Harold Plum

Gardłopodżynacz Flint

Bliźniaki
Prześcieradełka

kuchmistrz
Bajarz

WILL

Jedyny spadkobierca zacnej (jak mawiają na mieście...) dynastii Moogleyów. Od chwili śmierci jego wuja Alvina, zarządzanie najstarszą agencją duchów na świecie przeszło w jego ręce!

TUPPER

Jedyny, acz kłopotliwy przyjaciel Willa

WUJ ALVIN

Aktualnie duch nawiedzający hawajskie plaże

PIORUN
I BŁYSKAWICA

Żółwie bliźniaki

SUSAN

Czarująca blondynka
z drugiego piętra

FRIDA

Zbzikowana na punkcie
nowoczesnych technologii
łowczyni duchów

CIOTKA
MAUD

Nieznośna ciotka Willa,
zafascynowana
okultyzmem

Wyposażenie
(ściśle tajne)
Agencji Duchów

JANUA, ZEGAR – Stary, drewniany zegar wiszący na ścianie domu Moogleyów, który pełni funkcję przekaźnika pomiędzy światem żywych i duchów. W rzeczywistości, z jego wnętrza wydostają się wszystkie duchy, które przyjmują zlecenia agencji.

TELEWIZOR SPIRYTYSTYCZNY – Przerażający telewizor, który włącza się jedynie wtedy, gdy ktoś przeprowadza seans spirytystyczny. Działa on tak jak radio taxi: Will otrzymuje zgłoszenie i wysyła do klienta jednego ze swoich duchów.

POSŁANIEC UPIORÓW – Jest pospolitym urzędnikiem Międzynarodowej Federacji Agencji Lepszego Życia, posiada wszystkie informacje dotyczące tajemniczego świata duchów.

KUFER – Pękaty kufer pokryty żelaznym obiciem znajduje się w domu Moogleya. W środku znajdują się formularze z wszystkimi informacjami na temat duchów zatrudnianych w agencji, zwane także *curriculum mortis*.

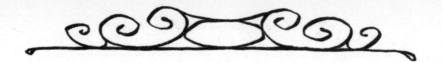

ZAŚWIATOPIJ – Potrzebny do destylowania ektoplazmy, wyśmienitego napoju, na który łakse są duchy. Mówi się, że ektoplazma Moogleya, przygotowywana według sekretnego przepisu przekazywanego z pokolenia na pokolenie, jest najlepsza na całym kontynencie.

SŁYSZĄCE OKO – Owoc geniuszu wielkiego Leonardusa Moogleya, rodzinnego wynalazcy, potężna luneta, na której zostało zamontowane specjalne urządzenie, pozwalające odbierać odległe dźwięki.

DETEKTOR HORRORU – Jest to mosiężny licznik, zainstalowany w starym zegarze, z którego wychodzą przywołane duchy. Służy do obliczania, godzina po godzinie, czasu pracy włożonego przez duchy w wykonanie zadania.

APARAT SPIRYTOFOTOGRAFICZNY – Jest starym aparatem na klisze Laika Reflex zdolnym do fotografowania duchów i innych materii spirystycznych, których nie może zobaczyć nawet, posiadający szczególne zdolności, Will.

MAPA DUCHÓW – To mapa Nowego Jorku ukryta z tyłu za obrazem; duchy zatrudnione przez agencję Willa są oznaczone czerwoną szpilką, natomiast duchy z agencji konkurencyjnej są oznaczone na niebiesko (i każdego dnia ich przybywa!).

Tytuł oryginału: *Will Moogley. Agenzia fantasmi. Una famiglia... da brivido!*

Korekta: Marta Cichy

Copyright © Dreamfarm, 2008
First published in Italy by Edizioni Piemme Spa
15033 Casale Monferrato (AL) – Via G. del Carretto, 10
© for the Polish edition by Wydawnictwo Olesiejuk Sp. z o.o., 2009

ISBN 978-83-7588-682-5

Wydawnictwo Olesiejuk Sp. z o.o.
05–850 Ożarów Mazowiecki, ul. Poznańska 91
wydawnictwo@olesiejuk.pl
Dystrybucja: www.olesiejuk.pl
Sprzedaż wysyłkowa: www.amazanka.pl

Przygotowanie wersji polskiej: Ad astra

DTP: Thot
Druk: Drogowiec Sp. z o.o.

Pierdomenico Baccalario

WSTRZĄSAJĄCA RODZINKA

Ilustracje
Matteo Piana

Przekład z języka włoskiego
Jolanta Jankowska

1

NIESPOKOJNA NOC

Willard Moogley wiercił się w łóżku, pojękując cicho.

Robił to co najmniej setny raz tej okropnej nocy. Prześcieradła były pozwijane w nogach łóżka w jakiś niekształtny pakunek. Zastęp szarych chmur przybyłych zza oceanu właśnie zaczynał rozlewać wiadrami deszcz nad całym Manhattanem. Porywiste strugi deszczu spadały z szumem po ścianach pokoju młodego Willa. Burza szalała także w brzuchu chłopca, który dokładnie w tym momencie śnił, że jest ścigany przez starego wieśniaka uzbrojonego w widły. Starzec z gęstą białą brodą miał na głowie połatany dżinsowy kapelusz z dużym rondem i zbliżał się coraz bardziej, coraz bardziej, aż Will, spoglądając do tyłu, mógł zobaczyć tuż za sobą jego szyderczy uśmiech. I jego połyskujące widły...

Will, zrywając się jednym skokiem na nogi, prawie spadł z łóżka i nagle się obudził. Oddychając pełną piersią zdał sobie sprawę, że to był tylko sen. I że tym okropnym starcem w rzeczywistości był tylko Hank, Dziadek Smażyciel! Ten, który umieszczony był na wszystkich szyldach osławionej sieci smażalni Hanka.

Will wsadził rękę we włosy. Miał czoło mokre od potu.

– Niech cię licho Tupper…wymamrotał pod nosem.

Faktycznie, pomysł skorzystania z sensacyjnej oferty Dziadka Hanka, wiadra frytek tylko za sześć dolarów, był pomysłem jego pryszczatego – i jedynego przyjaciela. Przyznać jednak trzeba, że Will nie miał nic przeciwko temu. Frytki były fantastyczne, nie można powiedzieć, i obfite ponad wszelkie oczekiwania. Ale teraz Will ponosił tego konsekwencje. Aby wyrazić to jednoznacznie, jego brzuch wydany na pastwę zabójczego smażenia Dziadka Hanka, zaczął warczeć jak generator prądu. Najbledszy chłopiec w całym Nowym Jorku wyciągnął rękę w kierunku szafki nocnej po szklankę z wodą.

Pusta. Suchutka. Ani jednej kropli.

Jak pędzący pociąg wypuścił głośno powietrze… zsunął się z łóżka, wcisnął kapcie w kształcie czaszki i powlókł się do kuchni po coś do picia.

– Ach! – krzyknął, nadeptując niechcący na błyszczącą skorupę Pioruna, żółwia, którego nie mógł znaleźć od wielu dni i już nawet myślał, że na zawsze go stracił.

Szedł posępnym korytarzem przedpokoju, pomiędzy olbrzymimi mrocznymi szafami, wysokimi aż po sufit, mijając salon miał wrażenie, że słyszy hałasy pochodzące z Januy, starego stojącego zegara z wahadłem, który duchy z Agencji Duchów Willarda Moogleya wykorzystywały jako wrota między tym i tamtym światem.

„Niemożliwe" – pomyślał.

Istotnie, zanim poszedł spać, przesunął wskazówki Januy na trzecią trzydzieści trzy, co sygnalizowało, o czym wiedziały wszystkie duchy, że wrota w domu Moogleya były tymczasowo zamknięte. I że szef Agencji Duchów w żadnym wypadku nie chciał, by mu przeszkadzano.

Chłopiec powlókł się aż do kranu w kuchni i nalał sobie świeżej wody do szklanki.

– Pieczone mufiny… Musieli mi zabrać pieczone mufiny – Will szukał na głos wyjaśnienia, kierując się z powrotem w stronę łóżka.

– Kogo to obchodzi! – zaskrzeczała papuga Zamilcz ze swojego srebrnego trójnoga ukrytego w ciemności.

W normalnych okolicznościach Will spróbowałby znaleźć coś i rzucić w opierzone dziwadło, ale teraz czuł się zdecydowanie zbyt wyczerpany na jakikolwiek odwet.

Tak więc jego jedyną odpowiedzią było wymruczane:

– Obiecuję ci, że któregoś dnia przygotuję sobie rosół z papugi…

Nagle chłopiec zatrzymał się prawie pośrodku przedpokoju i zamilkł. Teraz był pewien, że usłyszał hałasy pochodzące z zegara. Niemożliwe, żeby mylił się drugi raz.

Wystarczyło poczekać kilka sekund w ciszy i…

– *Otwórzcie!*

Słaby, skomlący głos zakwilił w korytarzu. Pochodził z Januy, bez wątpienia. Will westchnął, był zdecydowany iść prosto w stronę łóżka, ale w tym momencie zegar zaczął wibrować wstrząśnięty mocnym uderzeniem.

– *Prooooszę was… otwóóóórzcie…* – powtórzył upiorny głosik.

Will zaklął rozzłoszczony i zawrócił. Potem położył rękę na obolałym żołądku i wrzasnął:

– Już ja urządzę tego impertynenta!

Obracając wskazówki Januy, umieścił je dokładnie na północy i otworzył lukę między wymiarami pozwalającą duchom wejść do domu Moogleya.

Nie miał nawet czasu, by zamrugać, gdy ze starego hebanowego zegara wyszła i zmaterializowała się postać natrętnego ducha.

– Posłuchaj, przyjacielu… zaatakował Will wściekłym tonem.

Pozostałe słowa zamarły mu na ustach. Zjawa, która mu się właśnie ukazała, miała wygląd nieśmiałego, małego człowieczka w pidżamie i szlafroku, wyglądającego tak delikatnie i dobrotliwie, że nawet Will nie czuł się na siłach, by go strofować.

– Przypuszczam, że ma pan dobry powód, by prezentować się tutaj o tej porze, w nocy… – ograniczył swoją wypowiedź.

Oczy człowieczka, oprawione w stare czarne okulary z plastiku, szukały bojaźliwie wzroku chłopca.

– T – t – tak… panie Moogley, gwarantuję to panu – odpowiedział cienkim głosem.

Następnie, spuszczając lekko zakłopotany wzrok na kapcie Willa w kształcie czaszki, zapytał: – Bo pan jest panem Moogleyem z Agencji Duchów Willarda Moogleya, prawda?

– Pewnie, mój stary. Ma pan przed sobą Willarda Moogleya we własnej osobie, ze sławnej dynastii Moogleyów! – odpowiedział chłopiec pewnym siebie głosem.

– D – d – dobrze panie Moogley, ja nazywam się Harold Plum – zaprezentował się duch w stroju nocnym. – Proszę mi jeszcze raz wybaczyć, że pana obudziłem w ten sposób, ale widzi pan, ja jestem zdesperowany i potrzebuję pana pomocy – dodał z westchnieniem.

– Wyobrażam sobie – przytaknął Will ze zrozumieniem. – Musi pan szybko znaleźć pracę. Jest pan pewnie jednym z tych duchów, które wariują, nie mając żadnego żywego mięcha do straszenia.

– Nieee!!! – pospiesznie sprzeciwił się człowieczek.

– P – p – przeciwnie panie Moogley, ja chciałbym tylko żyć sobie spo – spo – spokojnie. I spać. Po prostu… spać! Ale te przeklęte grube sadła mi to uniemożliwiają!

– Hmm… wygląda, że ma pan interesującą historię, panie Haroldzie – skomentował Will, drapiąc się w podbródek po kolosalnym ziewnięciu. – Proszę sobie wygodnie usiąść i opowiedzieć mi wszystko od początku do końca!

2

SZTUKA ZANUDZANIA

– A to historia! – krzyknął Tupper następnego dnia. – Nigdy nie słyszałem czegoś podobnego!

Spacerowali chodnikiem, kierując się w stronę Lexington Avenue. Wszędzie były kałuże, a wokół unosiły się opary wydobywające się ze studzienek. Strzępy chmur wciąż jeszcze zasłaniały fragmenty nieba pomiędzy drapaczami chmur Manhattanu, ale na szczęście już nie padało.

– Masz całkowitą rację, Tupper. Ja też tak myślę. Ten biedak Plum, praktycznie, jest w samym środku historii „na odwrót". Will przeskoczył zwinnie kałużę, co wprawiło Tuppera w osłupienie. Nieczęsto zdarzało mu się widzieć przyjaciela podskakującego tak żwawo i energicznie. Poza domem widział zawsze Willa jako wysokiego, chudego i garbiącego się chłopca, który

wlókł się leniwie obuty w stare spłowiałe tenisówki z permanentnie rozwiązanymi sznurówkami.

Tupper poprawił okulary na nosie i zrekapitulował.

– Sprawdźmy, czy dobrze zrozumiałem…

– Strzelaj.

Chłopiec zatrzymał się na moment, potem kontynuował:

– Harold Plum całe życie pracował jako strażnik nocny…

Will potwierdził. – Tak, w *Muzeum Vattelapesca*. To miejsce pełne skamielin i dinozaurów.

– I teraz, kiedy wreszcie znalazł się na tamtym świecie… chce spać. Spać głęboko.

Will gwizdnął. – Trafione.

– Ale nie może. Albo raczej nie daje rady, bo jego stary dom zamieszkuje jadowita rodzina grubych sadeł.

– Rodzina Cliffordów! – krzyknął w tym momencie Will i, udając bagienne monstrum ze starych horro-

rów, zbliżył z podskokiem swoją twarz do twarzy Tuppera.

Tupper, przyzwyczajony do pajacowania przyjaciela, nie rozproszył się ani na chwilę i kontynuował: – Cztery osoby. Tata, mama i dwoje dzieci.

– Dokładnie – potwierdził Will. – On to taki, co handluje domami, mieszkaniami, czymś takim… I nie zawsze gra czysto, jak twierdzi Plum.

– I chrapie tak, że nadaje się do Księgi Guinnessa.

– Właśnie. Ona natomiast zajmuje się urządzaniem nowoczesnych wnętrz, neurotyczna baba. Cierpi na bezsenność i spędza czas, także w nocy, na przestawianiu mebli, próbując znaleźć ustawienie perfekcyjne! – dokończył Will.

– A dzieci? Mówiłeś, że to też dwa zgniotki pierwszej kategorii – przypominał sobie Tupper.

– A jakże! Starszy chłopiec jak burza i jego żałosna kontynuacja, młodsza siostra.

– O kurczę blade! To gorzej niż mieć w domu zespół heavy metalowy.

– Z tą różnicą, że jeśli w salonie masz Gutterzombis, oni chociaż dobrze grają, natomiast Cliffordowie produkują tylko kocią muzykę.

Tupper podniósł w górę wskazujący palec lewej ręki.

– Jak dobrze wiesz, niezupełnie się zgadzam z twoimi muzycznymi gustami.

Will uśmiechnął się. – I kto to mówi! Największy na świecie kolekcjoner najnudniejszych ścieżek dźwiękowych filmów fantastycznych!

– I co z tego? – rzucił obrażony Tupper. – Co w tym złego?

Will żwawym krokiem skręcił w Lexington Avenue. Potem, chcąc szybko zmienić temat, powiedział: – W każdym razie... jedno jest pewne, patrząc z punktu widzenia Harolda Pluma, jego stary dom jest opanowany przez rodzinę Cliffordów. I naszym zadaniem jest umożliwić temu biedakowi zasłużony i należny odpoczynek i wypędzić tych niezmordowanych producentów zgiełku i zamieszania.

– Jedno pytanie, Will. A dlaczego Harold nie idzie spać gdzie indziej?

– Też go o to zapytałem – odpowiedział właściciel Agencji Duchów.

– I...?

– Próbował, ale to nie miało sensu. Może spać tylko w murach domu, w którym mieszkał przez całe życie, razem z panią Mollyflower.

– Mollyflower? – jak echo powiedział Tupper.

– Staruszka, której Plum zostawił dom.

– Zaraz, zaraz! – sapiąc zatrzymał go Tupper.

Will odwrócił się i dostrzegł ten charakterystyczny wyraz twarzy przyjaciela, jakby mówił „Will – ty – ni – gdy – nie – wy –jaś – nisz – mi – ni – cze – go – do – koń – ca!": brwi podniesione wysoko ponad oprawki okularów, głowa lekko przechylona na lewą stronę, język pomiędzy zębami i krzywe spojrzenie wbite prosto w niego.

– Więc, jeśli dom należy do pani Mollyflower, co robią tam Cliffordowie?

Will zatrzymał się, ręce położył na biodrach.

– Tupper, dlaczego mnie nie słuchasz? Czym się zajmuje Clifford? Co ci powiedziałem, że robi?

– Chrapie, aż rozrywa bębenki?

– Nie! – Westchnął Will, uderzając przyjaciela ręką w kark.

– Jest agentem nieruchomości bez skrupułów! – Spojrzał na Tuppera z rezygnacją i wyjaśnił: – Plum zostawia dom pani Mollyflower. Kiedy staje się zjawą i pragnie snu, wraca do swojego starego domu pewien, że pani Mollyflower przyjmie go pod swój dach, ale... spotyka go przykra niespodzianka: dom jest już własnością Clifforda, który tak właśnie odwdzięczył się staruszce, że okręcił ją sobie wokół palca i... łap!

– Łap?

– Łap! Ukradł jej dom! – podsumował Will.

Tymczasem dotarli do świateł i skręcili w lewo, kierując się w stronę gmachu ambasady Zjednoczonego Królestwa.

– Łap… – powtórzył w zamyśleniu Tupper, zatrzymując się dokładnie na środku chodnika, jak gdyby chciał przeanalizować raz jeszcze kolejne fragmenty tej historii. Kiedy skończył swoje rozmyślania, zdał sobie sprawę, że Will jest już daleko przed nim, jak odpalony ładunek dynamitu.

Tupper w podskokach rzucił się za nim w pogoń.

– Można wiedzieć, dlaczego tak się dziś spieszysz? – wydyszał dołączywszy wreszcie do przyjaciela, który pędził jak olimpijczyk na zawodach.

Kościsty potomek dynastii Moogleyów nerwowo skontrolował palcami kieszenie. W jednej kieszeni bezkształtnych dżinsów miał schowaną zabytkową srebrną cebulę.

– Ponieważ muszę zainkasować pierwszą część należności od pana Pluma.

– A rzeczywiście! – krzyknął teraz Tupper. – Właśnie nad tym się zastanawiałem: jak każemy sobie zapłacić za całą tę historię? Duchy nie mają pieniędzy.

– Tak… ale w końcu znaleźliśmy sposób – odpowiedział tajemniczo Will, tymczasem jego srebrne cebulisko zagłębiło się ponownie w kieszeni dżinsów. – Jeszcze dwa osiedla i wszystko zrozumiesz.

Minęli kilka przecznic i Will zatrzymał się, uważnie rozglądając wokół. Chwilę później rozpromieniony wskazał przeciwległą stronę ulicy.

– Jesteśmy na miejscu, Tupper – zawołał. – Oto jak nam zapłaci pan Plum!

Tupper z zapałem zwrócił się w kierunku wskazanym przez przyjaciela. Znajdowali się na wprost oświetlonych z przepychem wystaw sklepu antykwarycznego Spriggles & Finch.

„W końcu nie ma tu nic niezwykłego" pomyślał pyzaty chłopiec.

Jednakże, przyglądając się uważniej, na prawo od mieniącej się wystawy przepełnionej starociami, dostrzegł plac budowy odgraniczony od ulicy biało-–czerwoną taśmą, a w środku widać było mnóstwo brudnych narzędzi i pozgniatanych znaków drogowych.

– To jest fantastyczne, Will! – Tupper zawył prawie, widząc te cuda. Przeszedł entuzjastycznie ulicę, nie zwracając uwagi na jadące samochody, pochylił się pod biało-czerwoną taśmą i objął z czułością duży trójkątny znak. – Zawsze marzyłem, że kiedyś znajdę znak „Zamknięte z powodu konserwacji"!

Willard Moogley wciąż stał nieruchomo po drugiej stronie ulicy. Opuścił wolno rękę i spoglądał na przyjaciela z nieokreślonym bliżej wyrazem twarzy.

– Powiedzcie mi, że on żartuje... – wyszeptał.

Ale gdy zobaczył Tuppera w siódmym niebie, przytrzymującego pod pachą znak i szykującego się do zabrania także drugiego znaku, „Zakaz zatrzymywania", musiał zacisnąć pięści i głęboko odetchnąć. Usiłował zachować spokój. Zdecydował przejść na drugą stronę ulicy i dołączyć do przyjaciela.

Po wyjaśnieniu tego nieprawdopodobnego nieporozumienia, Tupper zatrzymał się razem ze swoim przyjacielem na wprost witryny sklepu z antykami.

– OK, to tutaj musimy wejść, żeby zainkasować zapłatę od Pluma – zapowiedział Will.

– *Tutaj*?! W tej dżungli staroci? – zapytał okularnik, wskazując zakurzone przedmioty na wystawie.

– Dokładnie!

– Niby że jak?

– Prościutko: wśród tych antyków jest pewna rzecz o małej wartości, stare drewniane pudełko...

– Ale mi też! Drewniane pudełko...

– Nie dasz mi skończyć, Tupper! To pudełko z podwójnym dnem, które ukrywa sakiewkę szmaragdów. My kupimy pudełko za parę groszy i zdobędziemy prawdziwy skarb.

– O kurczę! To ci dopiero interes... – Ale co ma wspólnego Plum z tym pudełkiem?

– Niezbyt wiele, mówiąc prawdę... Po prostu, w Świecie Duchów spotkał starego przyjaciela od brydża, który mu opowiedział, że skarb kiedyś należał do niego, teraz jako duch zabawia się, podążając śladami tego starego pudełka. Podobno zmieniło właściciela już osiem razy...

– I nikt jeszcze nie odkrył podwójnego dna ze szmaragdami!

– Właśnie tak, Tupper, skarb tam jest i na nas czeka.

– A niech to! Co za historia...

– Nooo. Czas działać, mój przyjacielu.

I obaj przekroczyli próg sklepu, zaanonsowani delikatnym dźwiękiem dzwoneczka, umocowanego nad drzwiami. Zaledwie weszli, spotkali się z surowym spojrzeniem ekspedientki Spriggles & Finch. Była to kobieta niewiarygodnie podobna do puchacza: przysadzista, bez szyi. Mierzyła teraz chłopców swoimi podejrzliwymi, okrągłymi oczkami.

– Pierwszy raz jestem w podobnym miejscu – wyznał Tupper, spoglądając nieufnie na zabalsamowaną krokodylą głowę, niebezpiecznie wystającą z półki.

Will obejmował wzrokiem niezliczoną ilość otaczających go przedmiotów. Sklep wypełniony był zabytkowymi krzesłami, złoconymi kanapami, meblami w różnych gatunkach i stylach, wielkimi lampami o absurdalnych kształtach. Natomiast w innej części pomieszczenia skupione były stoły i stoliki, na których w nieładzie leżały stare bibeloty, posążki, statuetki i różne inne małe przedmioty.

Chłopcy zdecydowanie szli prosto w tym kierunku.

Oczy drapieżnej sprzedawczyni zatrzymały się na znaku drogowym umieszczonym na karku Tuppera.

– Nie mogłeś zostawić tego czegoś na zewnątrz? – zapytał go Will, chcąc zademonstrować kobiecie-sowie uspokajający uśmiech.

Tupper odwrócił się w stronę przyjaciela z wyrazem twarzy kogoś niedowierzającego własnym uszom: – Zostawić go na zewnątrz?! Oszalałeś, takie cudo? – powiedział, spoglądając z czułością na znak drogowy. – Nie

wymieniłbym go na wszystkie antyki tego babska! – podsumował stanowczym tonem eksperta.

Pod piorunującym spojrzeniem sprzedawczyni, uśmiech Willa przemienił się w nieokreślony grymas. Potem potężny kopniak dosięgnął Tuppera.

– Ach! – krzyknął okularnik.

Kobieta–sowa nagle stanęła niebezpiecznie blisko obu przyjaciół.

– Mam nadzieję, że panowie jesteście tu, by coś zakupić... – zasyczała cierpko.

– O tak, rzeczywiście...Właśnie po to... – odpowiedział szybko Will.

– Możemy się założyć, proszę pani! – Tupper przyszedł mu z pomocą. – Kupimy i zrobimy interes naszego życia!

Tupper dostał drugiego kopniaka.

– Ach!

Will próbował odzyskać zaufanie sprzedawczyni, przemieniając się sprytnie w grzecznego, miłego chłopca.

– Chcemy znaleźć prezent dla naszej ukochanej babci Bereniki – wyjaśnił przymilnie.

Na te słowa, wyraz twarzy ekspedientki wydawał się złagodnieć.

Widząc to, Will Moogley kontynuował z przekona-

niem: – Pewien jestem, że znajdziemy coś odpowiedniego wśród waszych… – zagryzał wargi przez niekończące
się sekundy, nie mogąc znaleźć odpowiedniego słowa. –
Świecidełek! – wydusił w końcu, usatysfakcjonowany.

– Co – ta – kie – go! Świecidełek? – Zdumiała się
sprzedawczyni. – Na co ty sobie pozwalasz, chłopczyku?
Spriggles & Finch handluje tylko antykami o wielkiej
wartości! Czego to ja muszę wysłuchiwać…

– Hmm… tak, pewnie, przepraszam, proszę mi wybaczyć… – wymruczał Will, rezygnując definitywnie
z nawiązania przyjacielskich stosunków ze sprzedawczy-
nią.

Podczas gdy jeszcze bardziej poirytowana kobieta-so-
wa skrzyżowała ręce na piersi, Will i Tupper odwrócili się
do niej plecami i zajęli się szukaniem starego pudełka
wśród przedmiotów znajdujących się wokół nich.

– Musi mieć na górze namalowaną różę wiatrów… –
wyszeptał do przyjaciela Will.

– OK… ale co to znaczy, ta róża wiatrów?

– Dobrze, rozumiem… zostaw mi szukanie.

Poszukiwania trwały kilka minut, aż Willard, pod
ozdobną złoconą ramką, dostrzegł drewniane pudełecz-
ko, którego pokrywkę zdobiła róża wiatrów wysadzana
perłami.

– Bingo! – krzyknął, chwytając pudełko.

– Mamy!!! – jak echo dopowiedział Tupper.

Odwracając się, dwaj chłopcy napotkali złowrogie spojrzenie kobiety–sowy.

– Zatem to pudełko odpowiada waszym gustom… – stwierdziła zimno ekspedientka.

– O! jeszcze jak odpowiada! – potwierdził zelektryzowany Tupper.

– Dobrze, należy się pięćdziesiąt dolarów – poinformowała ich chłodno sprzedawczyni.

– O… jak darmo! – skomentował Will, zachowując się jak wielki pan. I po raz pierwszy w swoim życiu wyjął z portfela pięćdziesięciodolarowy banknot z taką niedbałością, jakby wyciągał marną jednodolarówkę.

Kobieta zgarnęła banknot drapieżnym gestem i po przeegzaminowaniu go, czy jest autentyczny, włożyła go do kasy.

– Chcecie je zapakować jako prezent? – zapytała, wyciągając rękę w kierunku pudełka leżącego na ladzie.

– Nie! – krzyknął pospiesznie Will. – Jesteśmy już spóźnieni, babcia Bertranda na nas czeka.

– Nie ma na imię Berenika? – zaoponowała sprzedawczyni.

– Hmm… tak, faktycznie… Berenika Bertranda…

Tak ma na imię nasza babcia – wybełkotał Will, usiłując wybrnąć z niezręcznego błędu.

– Berenika Bertranda Bartolomea, mówiąc precyzyjnie! – dodał Tupper bez szczególnego powodu.

Ekspedientka Spriggles & Finch zdesperowana podniosła wzrok na sufit, co Will skwapliwie wykorzystał, popychając przyjaciela w kierunku wyjścia. Dzwoneczek na drzwiach ponownie zadzwonił cichutko i ich misja wydawała się nareszcie zakończona.

Will był już jedną nogą na ulicy, kiedy za swoimi plecami usłyszał silny metaliczny brzęk. Kościsty chłopiec szybko się odwrócił. Pierwszą rzeczą, którą zobaczył, była zdziwiona twarz przyjaciela. Drugą był szyld „Zamknięte z powodu konserwacji", który właśnie spadał na ziemię. Trzecim i ostatnim obrazem był rozkoszny porcelanowy amorek rozpryskujący się na tysiąc kawałków.

Mózg Willa wszedł błyskawicznie w tryb „nagłe niebezpieczeństwo" i w sekundę zareagował.

– Uciekaaamy!!!!!! – wrzasnął Will z całej siły. I rzucił się do ucieczki jak rakieta.

Tupper pobiegł za nim najszybciej, jak mógł.

Zanim kobieta–sowa przekroczyła próg antykwariatu z mnóstwem obelg i wyzwisk na ustach, chłopcy byli już dwoma małymi punktami, daleko na tle Manhattanu.

Następnego dnia Tupper windą dostał się na ostatnie piętro drapacza chmur, pod mieszkanie Willa.

Otworzył mu Willard Moogley, ale nie przywitał go zbyt serdecznie.

– Aaa aaa aaa! – powiedział, zapraszając do środka.

– Zauważyłem. Naprawili ci windę, nareszcie! – zaczął Tupper, sądząc, że fakt zaoszczędzenia sobie dwudziestu dziewięciu pięter schodów jest wystarczającym powodem, by przyjaciel miał dobry humor.

Potem zauważył, że Will ściskał w dłoni młotek i śrubokręt. Nigdy wcześniej tego nie widział!

– Mów, co się dzieje? – zapytał Tupper, zamykając drzwi i rzucając kurtkę na znajdujący się w przedpokoju wieszak w kształcie żyrafy.

Truchtem podążył do dużego salonu za Willem. Stała tam olbrzymia kanapa obita czarną, teraz już popękaną, skórą i dwa bliźniacze fotele, stojące po bokach Spirytystycznego Telewizora.

Na starym dywanie w samym środku pokoju leżały kawałki dobrze mu znanego drewnianego pudełka.

– O kurczę, Will, odnalazłeś sakiewkę?

– Znalazłem i przejąłem! – potwierdził przyjaciel, uderzając kilka razy w jedną z grubych kieszeni. – I na kilka miesięcy zapasy *Choco Smash* mamy gwarantowane, drogi przyjacielu – dodał z satysfakcją.

Obaj przybili sobie „piątkę".

W tej chwili zadzwonił telefon. Will szybko do niego podszedł, podniósł słuchawkę i powiedział: – Moogley.

Długo słuchał, a z każdą chwilą na jego twarzy pojawiał się wyraźniejszy uśmiech zadowolenia.

POSZUKIWANIA

– Wszystko dobrze? – zapytał Tupper, kiedy Will zakończył rozmowę.

– I to jak – zaszczebiotał Will. – Wszystko idzie *świetnie*.

Pucaty przyjaciel potarł ręce i zbliżył się do kufra, w którym były CV, a właściwie *curriculum mortis* duchów z Agencji. – No już, bierzmy się za pracę.

– Nie, nie teraz. Obawiam się, że rodzina Cliffordów musi poczekać.

Tupper znieruchomiał. – Co ty mówisz? A nie mieliśmy pracować nad planem ich wyprowadzki?

– Nawet nie ma o czym mówić – obstawał Will przy swoim. – Przynajmniej nie teraz.

– A to dlaczego? O co chodzi? – zapytał zaniepokojony chłopiec.

– O to, że teraz mam co innego do zrobienia.

– Masz co innego do zrobienia?

– Właśnie tak – ponownie stwierdził Will, znikając w swoim pokoju.

– A od kiedy to ty masz co innego do zrobienia?

Tupper zastanawiał się przez sekundę nad tak zaskakującym obrotem sprawy.

– Do stu diabłów, Will, co się z tobą dzieje?

Dołączył do przyjaciela i, stojąc w progu pokoju, z odrazą odkrył, że Will właśnie zmienia brudną koszulę i wkłada nową i czystą.

– Na co się gapisz? – zapytał go kościsty chłopiec. Potem przesunął się w róg pokoju i wyciągnął stare lustro spod prześcieradła, którym było przykryte. Zaczął rozczesywać tę kupę potarganych włosów, którą miał na głowie.

– Nieee! Ja chyba śnię! – zawołał Tupper.

– Ostatecznie, co w tym takiego niezwykłego?

– To spójrz na siebie! Jesteś wesoły, pełen energii, i… i… się czeszesz! Coś przede mną ukrywasz! – zakończył Tupper urażonym tonem.

Will przeglądał się niezdecydowany, kręcąc głową z jednej strony w drugą. – OK. Masz rację.

– No już, strzelaj!

– Mam spotkanie z Susan w bibliotece – wyznał Will. – To była ona, dzwoniła.

Tupper otworzył szeroko buzię. Przełknął ślinę.

Susan. Olśniewająca Susan z drugiego piętra. Jedyna na świecie dziewczyna zdolna wywołać krótkie spięcie w umyśle Willa.

– Idziecie tam razem?

– Nie… spotkamy się na miejscu. Mamy zadanie ze szkoły – odpowiedział Will. – To praca grupowa, biorą w niej udział też te dwa dzikusy, Zick i Joe.

– Zatem to sprawa poważna – powiedział Tupper.

– I to jak – potwierdził Will, zadając włosom kolejny cios grzebieniem.

Po dokładnym skontrolowaniu swojej postaci odbijającej się w lustrze, Will wydął usta, wielce z siebie niezadowolony.

– A niech to, Tupper! Nie mam zielonego pojęcia, jak trzeba się ubrać na takie spotkanie.

Przyjaciel położył dwa palce na ustach, robiąc wrażenie wielkiego eksperta w tych sprawach.

– Z pewnością nie tak.

– No to jak? – zapytał Will zniecierpliwiony.

Był tak podekscytowany możliwością spędzenia calutkiego popołudnia w towarzystwie Susan, że zaakceptowałby rady od kogokolwiek. Nawet od Tuppera.

– Na spotkanie w bibliotece… nie ma żartów… – szemrał przyjaciel, już dobrze czujący się w roli eksperta od wizerunku – przede wszystkim trzeba mieć odpowiedni strój.

– To znaczy jaki?

– No strój bibliotekarza, naturalnie!

Pół godziny później, Willard Moogley nie do rozpoznania, zatrzymał się na wprost dwóch kamiennych lwów strzegących na Piątej ulicy Biblioteki Publicznej, imponującej biblioteki miasta Nowy Jork. Lwy nazywały się „Siła Ducha" i „Cierpliwość" i były dwoma kamiennymi posągami, które studenci uważali za statuy przynoszące szczęście.

Will miał na sobie niezwykły strój: biało–czarne spodnie księcia Galów, należące kiedyś do jego zmarłego wuja Alvina, tweedową marynarkę w kolorze zgaszonego brązu, z całym mnóstwem kuleczek naftaliny w kieszonce wewnętrznej, czerwoną koszulę z wysokim kołnierzem, przy której upierał się Tupper, by mógł przypiąć do niej muszkę. Na zakończenie, geniusz mody dla bibliotekarzy, wyjął z szafy wypełnionej po brzegi kartonami z butami parę mokasynów z imitacji skóry krokodylej i nalegał tak długo, póki młody właściciel Agencji Duchów nie zgodził się ich włożyć.

– Wyglądam jak skrzyżowanie piosenkarza z lat siedemdziesiątych i odkrywcy Czarnej Afryki – było pierwszą myślą Willa.

Tupper oburzył się. – Jeśli mi nie ufasz – powiedział – dlaczego nie poprosisz o radę twojego przyjaciela ze sklepu muzycznego, Leo Migginsa?

Willowi wystarczyło przypomnieć sobie marynarki, które nosił w ostatnich miesiącach Leo Miggins, by poczuć dreszcz odrazy i zdecydowanie odrzucić taką ewentualność.

Tak więc Tupper i Will pożegnali się, umówieni na spotkanie wieczorem, by nareszcie móc zająć się sprawą Cliffordów.

– Idź, bo się spóźnisz... – Trupper dodał mu odwagi. I Will, wciąż niespokojny, czy dobrze wypadnie przed Susan, wyruszył.

Tylko, że teraz był monstrualnie przed czasem. Kiedy brakowało jeszcze ponad godzinę do spotkania, poszukał kabiny telefonicznej, by zadzwonić do domu.

– Agencja Duchów Moogleya! – Usłyszał głos Tuppera w słuchawce. – Jak możemy pomóc?

– Tupper...

– Cześć, Will. Co się dzieje?

– A to, że stoję tu przed biblioteką i czuję się jak głupi.

Will spojrzał z lękiem na obszerne wejście do biblioteki – wielkie kolumny, schody, greckie płaskorzeźby i kamienne lwy. Przełknął. – Myślałem także o planie na wieczór.

– Nic się nie martw. Zrobimy, jak mówiłeś.

– A co powiedziałem? Nawet o tym nie rozmawialiśmy!

– Ale ja wszystko zrozumiałem: nie ma nic lepszego

jak parka przerażających duchów, żeby wykwaterować Cliffordów z domu pana Pluma.

Will przytaknął: – Dokładnie taki miałem pomysł.

– No i dlatego pracujemy razem, wspólniku.

Willard Moogley przygryzł wargi, usiłując nie odpowiedzieć jakąś złośliwością. Zamiast tego podał przyjacielowi kilka instrukcji, jak tu przygotować Cliffordom piękną niespodziankę i Tupper go zapewnił, że wszystkim się zajmie.

– Zostaw mi chociaż puszkę *Choco Smash* w lodówce – powiedział na koniec.

– A nie miałeś czasem problemów z żołądkiem?

– Potrójna czekolada załatwi ten problem, zobaczysz.

– OK. Do zobaczenia, szefie.

Will odłożył słuchawkę. Potem, patrząc w oczy kamiennym lwom, wszedł schodami do środka.

Biblioteka Publiczna Nowego Jorku była pomnikiem sztuki i literatury. Korytarze uderzały przepychem, podobnie sale projekcyjne, sale wykładowe, aula i widownia. Will czuł się okropnie w tych swoich butach z imitacji krokodylej skóry, które skrzypiały przy każdym kroku po marmurowej posadzce, nabłyszczonej przez armię sprzątaczek. Próbował z maksymalną niedbałością odszukać typowe pomieszczenie z książkami na półkach i stołami między nimi. Dokładnie takie jak te, które widział w dziesiątkach filmów za każdym razem, kiedy akcja działa się w bibliotece. Znalazł taką jedną: gigantyczną, czerwoną, z żyrandolami z kryształowych kulek, które zwisały z sufitu tak wysokiego, że zdawały się skonstruowane na innej planecie. Znajdowały się tam dwie grupy stołów: jedne na parterze, ustawione ukośnie, i druga seria na balkonach, rozciągających się wkoło sali.

Will pomyślał, że to niezły pomysł, poczekać na Susan tutaj, pozwolić, by zastała go siedzącego i już zajętego, jakby jego obecność w bibliotece była czymś zwyczajnym. I tak zrobił.

Ruszył w kierunku balkonu. Pokonał schody i wypatrzył wolny stół. Tweedową marynarkę zawiesił na oparciu krzesła i, sprawiając wrażenie zdecydowanego, skierował się do regałów, by wziąć coś do czytania.

– Hej – przywitał się, kiedy dostrzegł kogoś znajomego.

Szedł, jakby miał wycelowaną kamerę wprost na swoje plecy. Wyobrażając sobie siebie na ekranie w wieczornych wiadomościach, niepewnie stanął na wprost złotego regału i wyjął z niego przypadkową książkę.

– Doskonale, właśnie tego szukałem… – wymruczał.

Otworzył książkę, zwilżył językiem opuszkę palca wskazującego i zaczął przeglądać strony z takim przejęciem, jakby poszukiwał niezmiernie ważnych informacji. Po kilku chwilach tego przedstawienia teatralnego zamknął książkę nagłym ruchem.

– *I voilá!*

Powtórzył to samo jeszcze dwa razy, zabierając ze sobą do stołu trzy wybrane w ten sposób książki. Usiadł na krześle, na drugim oparł stopę i rozejrzał się wokół z powątpiewaniem.

Co teraz należało zrobić?

Inne osoby siedzące przy stołach czytały i pisały, pisały i czytały, jakby nic bardziej interesującego nie było na świecie. Will natomiast zaczął fantazjować, że na tej sali zjawiają się kolejno jego atrakcje spirytystyczne: mógłby nawet wedrzeć się tutaj ze swoim pasterzem Pellagrusem i jego przerażającą trzodą upiornych owiec. Albo na tym korytarzu bez wyrazu, tam na dole, mógłby pokazać się…

– Moogley! – wrzasnął ktoś tak, że Will prawie spadł z krzesła. Stanął na równe nogi, potrząsając głową, jakby dopiero co się obudził.

– Zick – przywitał się chłodno, zmierzywszy z niechęcią pierwszą z trzech postaci zbliżających się właśnie do stołu.

– A, Will – krzyknął także Joe, stając za jego plecami.
– Byłeś na balu maskowym?

Zick roześmiał sie przy tym, ale Will go zignorował. Poczuł przyspieszone bicie serca.

– Cześć Susan – powiedział, kiedy ją dojrzał.

– Cześć Will – odpowiedziała spokojnie.

Czarująca Susan była po prostu... czarująca! Włosy śliczne, pachnące, z opaską w kwiatki, śnieżnobiała bluzeczka, plisowana spódniczka, buty w czerwone paseczki i... najsłodszy uśmiech, jaki sobie można wymarzyć.

Susan krótko spojrzała na Willa i przez moment zadrżała, co kościsty chłopiec wziął za przejaw nieśmiałości, w rzeczywistości była to chwila konsternacji.

– Czuję jakby zapach na...na... – zdołała wyjąkać Susan, zanim kichnęła pierwszy raz, potem drugi, w końcu trzeci, upuszczając swoje książki na stół.

Zick i Joe zachichotali, podczas gdy Will, wciąż stał sparaliżowany jak świeca, usiłując zrozumieć, co się właśnie stało. Spanikowany zwrócił się z pytającym wzrokiem w stronę Zicka.

– Susan jest uczulona na naftalinę – odpowiedział mu szkolny kolega.

Will nie tracił czasu: chwycił tweedową marynarkę wuja Alvina i pozwolił jej na wysoki lot z balkonu. Spadła w dół na jeden ze stołów, wprost na staruszka, który studiował jakiś starodruk. Zdarzenie spowodowało szok i złorzeczenia starca i natychmiastowy podziw Zicka.

– No! Mocny jesteś!

– Nie robi się czegoś takiego w bibliotece! – wyszeptał Joe, tymczasem starzec uwalniał się z marynarki, lamentując.

Will spojrzał na Susan, która przestała już kichać, usiadł ponownie przy stole i odpowiedział: – A kto tak powiedział?

– Wow, Will, ty to umiesz wyrabiać sobie szacunek! – skomentował Zick.

Joe poklepał go z uznaniem po plecach.

– P – p – przepraszm – wyszeptała Susan, siadając wreszcie razem z nimi.

Will uśmiechał się. – A za co? Jakieś zakurzone mumie zostawiły tę marynarkę na krześle… Ale pozbyłem się kłopotu!

Ukradkiem rzucił wzrokiem na starca siedzącego na dole. Krążył po sali, szukając właściciela marynarki, która cuchnęła tak, że nos trzeba było zatykać.

– Długo na nas czekałeś? – zapytała Susan, ostatni raz kręcąc nosem.

– A nawet nie wiem… odpowiedział szybko Will. – Czytałem to, co zawsze…

Zick, Joe i Susan przeczytali tytuły książek, które leżały przed Willem.

– No, no! – *Osadnictwo w New Jersey w 1942!*

– *Dialektyka stosowana.*

– *Entomologia* – zakończyła Susan z podziwem. – Nie wiedziałam, że interesujesz się tyloma zagadnieniami!

Will poczuł delikatny zimny dreszcz przebiegający mu wzdłuż pleców, usiłował go zignorować, wstrząsając ramionami. – No wiecie, zawsze kochałem książki i lubiłem czytać…

– Taaak… – przerwał mu Zick, którego najwyraźniej drażnił ten nagły podziw Susan dla Willarda Moogleya. Wziął książkę o entomologii i zaczął gwałtownie przeglądać strony z obrazkami najdziwniejszych insektów, dodając: – Być może w domu masz także kolekcję motyli.

– Pewnie, że nie – odpowiedział Will, w swej obronie. – Ale mam… mam… duchy!

– Duchy?! – wyrzucił Joe i zaczął się śmiać. – A to dobre! Kolekcja duchów! Zick, niezłe co?

Zick także uznał, że Will przesadził i na moment odłożył książkę. Wpatrywał się w Susan, która z liliowej teczki wyjęła notesik wyglądający, jakby był pożyczony z domu dla lalek.

– Jednakże, chłopcy... dzisiejsza praca dotyczy skamielin.

– Właśnie! Skamielin!

– Jedną taką żywą mamy tam na dole, w marynarce na głowie – powiedział Zick, oczekując natychmiastowego poparcia Joe.

– A to dobre! – Joe zawtórował mu jak echo.

– Skamielina z marynarką na głowie! No, no! Niezłe, co Moogley?

Will, chcąc pokazać, że jest zintegrowany z grupą, zasymulował śmiech.

– Tak... naprawdę dobre, Zick...

Ale kiedy Susan, lekko pokaszlując, przerwała im, zamilkł w jednej chwili.

– Profesor Brickman mówi, że gdybyśmy znaleźli taką skamielinę, byłaby ona warta więcej, niż tysiąc stron badań – powiedziała czarująca dziewczyna, podczas gdy Will przytrzymywał rękę pod węzłem muszki, która go praktycznie podduszała. Wokół stołu zapadła dziwna cisza.

– Ale naturalnie nie jest to możliwe! – skonkludowała Susan nagle, pozwalając odetchnąć wszystkim trzem chłopcom.

– Tak.

– Naturalnie.

– Pewnie, że nie jest możliwe znalezienie skamieliny.

– Zatem myślę, że lepiej będzie, jak zabierzemy się do pracy, jeśli chcemy napisać co najmniej dwadzieścia stron.

– Dwadzieścia stron? – zdziwił się Will, którego największa pisanina, jaką się wykazał dotychczas, to były dwie strony z kodami aktywacyjnymi tajemnych broni mega gry wojennej *Uniwersalny żołnierz*. – Ależ to olbrzymia praca!

Zick i Joe wpatrywali się w niego. Pewnie, że się z nim zgadzali, ale nigdy, przenigdy nie sprzeciwiliby się czarującej Susan.

– W takim razie, nie mamy innego wyjścia, Will, jak znaleźć skamielinę – uśmiechnęła się dziewczyna.

– Gdzie mamy szukać?

– W Nowym Jorku? Hmm, możemy kopać głęboko w ziemi za pomocą przyrządów paleontologicznych… – powiedziała Susan, trochę sobie z nich żartując.

– Ja mam! – zawołał Zick. – Mam pistolet i różdżkę, jak ta z Indiany Jonesa…

– To faktycznie jak prawdziwy paleontolog! – przerwała mu uszczypliwie Susan.

– Albo? – zapytał Will, zaczynając się już pocić.

– Albo idźmy do Van Thel & Tessar Museum i każmy sobie podarować jeden z ich szkieletów dinozaura.

– Nieźle! – roześmiał się Joe. – Do muzeum…

– Zaraz, zaraz! – przerwał mu Will. – Jak powiedziałaś, że się nazywa?

– Kto?

– Co?

– Muzeum. To ze szkieletami dinozaurów.

Susan odłożyła pióro na notesik i skrzyżowała ręce na piersi. – Nie mów, że nie znasz Van Thel & Tessar Museum!

Will wzruszył ramionami.

Zick zaśmiał się szyderczo. – Ktoś taki, jak ty… z pewnością je zna.

Will nie zwracał na niego uwagi. „*Muzeum Vattelapesca*" myślał, podczas, gdy coś zaczynało mu świtać w głowie. Vattelapesca… Van Thel & Tessar…Van Thel & Tessar! Czy Harold Plum nie mówił czasem, że to tam pracował jako stróż nocny przez pięćdziesiąt lat?

– Ja… chcę powiedzieć… – rozpoczął, bez przerwy wpatrując się w martwy punkt przed sobą. – Gdybyśmy poszli tam i uprzejmie poprosili, pożyczyliby nam tę skamielinę?

– A dlaczego mieliby to zrobić? – odpowiedziała Susan. – Jesteśmy tylko czwórką uczniów, którzy mają szkolne zadanie do wykonania.

– Mam przyjaciela, który tam pracuje – stwierdził z uśmiechem Will. Ponownie zadziwił Susan, zobaczył jej twarz rozpaloną niespodziewaną wiadomością, a zaraz potem spostrzegł, że szczęki Zicka i Joe otwarte na oścież, zaczęły zgrzytać.

4
WIECZÓR W STYLU MOOGLEYA

Dopiero co nastał wieczór w Brooklynie, jednej z najspokojniejszych dzielnic w całym Nowym Jorku. Łagodny wietrzyk znad rzeki Hudson powiewał między liśćmi bluszczu, którymi pokryte były stare bramy i furtki wzdłuż chodnika. Na jednej z zapomnianych uliczek dzielnicy, zwinnie i bezszelestnie jak cienie poruszały się dwie postaci, tuż obok ukrytej w ciemności fabryki, zamkniętej o tej porze. Dwie bezszelestne postacie... dopóki jedna z nich nie wpadła na wielki, stary pojemnik na śmieci.

DRABA – DABA – DAAAAM!!!!

– Do cholery, Tupper! – wybuchnął Will, widząc przyjaciela, który toczył się środkiem ulicy, obejmując stary pojemnik. – Czy to możliwe, że z tobą nigdy nic nie idzie jak należy?

– Przepraszam, ale to ty kazałeś mi oglądać się za siebie – usprawiedliwiał się przyjaciel, podnosząc się z chodnika. – I jak się patrzy za siebie to z pewnością nie można jednocześnie widzieć tego, co jest z przodu! – zakończył Tupper, strząsając z siebie różne śmieci.

Will, rozbrojony wyjaśnieniami przyjaciela, potrząsnął głową.

– Oszczędź mi przynajmniej tych twoich teorii, Tupper... Ruszże się, dalej! – I wskazał przyjacielowi stare schody znajdujące się z boku fabryki.

Obaj wspinali się żwawo po zardzewiałych schodach, aż dotarli na dach budynku. Will objął wzrokiem całe otoczenie.

– Oto on! – zawołał chwilę później. – To jest dom Cliffordów.

Był to duży dom z czerwonej cegły, z przylegającym małym parkiem, z wieloma drzewami, rabatami, grządkami, zielonym trawnikiem i ławeczkami.

– Hmm... – bezradnie wydukał speszony Tupper. – Ale tu na górze nie jesteśmy zbyt oddaleni?

– Wcale nie, Tupper, to jest właśnie odpowiednia odległość, by uniknąć jakiegokolwiek ryzyka! – odpowiedział pewnie Will.

Okularnik rozłożył szeroko ramiona. – Nie ponosimy

ryzyka, może, ale też nie widzimy i nie słyszymy niczego z tego, co tam na dole się dzieje!

– Oj, oj, oj – z nieukrywaną wyższością zaśmiał się właściciel Agencji Duchów Willard Moogley. – Miałbyś z pewnością rację, gdybym nie przyniósł ze sobą... – W tym momencie, niczym sławny iluzjonista przed swoją publicznością, Will zrobił pauzę, położył na ziemi staromodny futerał z czarnej skóry, który miał ciągle przy sobie od kiedy wyruszyli, pootwierał wszystkie zatrzaski i wydobył z niego coś absurdalnego, coś jakby podłużny instrument muzyczny. – Słyszące Oko Moogleya! – pokazał z dumą.

– Wow! Słyszące Oko Moogleya! – Jak echo powtórzył Tupper, zarażony entuzjazmem przyjaciela.

Cisza.

– Przepraszam, Will... – dodał jednak w chwilę później. – Czym, do diabła, jest Słyszące Oko Moogleya?

Will trzymał w ręce dziwny instrument.

– To jeden z atutów naszego oprzyrządowania! Owoc geniuszu potężnego Leonardusa Moogleya, naszego rodzinnego wynalazcy. Praktycznie, to potężna luneta, w której zostało zamontowane specjalne urządzenie, pozwalające odbierać odległe dźwięki – wyjaśnił, demonstrując przyjacielowi różne części przyrządu.

Tupper obserwował go uważnie. Rzeczywiście była to bardzo stara luneta, jedna z takich, jakie widuje się w muzeum techniki, na której została umieszczona maleńka rurka, rozszerzająca się jak trąba, aby zwieńczyć się stosownie w prawdziwe ucho z brązu. Dzieło kończyły dwa kolejne przewody kauczukowe, wychodzące z lunety, które podobne były w każdym calu do tych znajdujących się w stetoskopach lekarskich.

– A niech mnie! Ale cudo! – powiedział Tupper z nieukrywanym zachwytem.

– To fakt – przytaknął Will. – I dzięki temu, że mamy Słyszące Oko Moogleya, możemy bezpiecznie rozkoszować się spektaklem umierających ze strachu Cliffordów.

Tupper jednym ruchem poprawił sobie okulary na nosie i zaczął zacierać ręce, przeczuwając dobrą zabawę.

– Opowiadaj, z jakimi duchami się umówiłeś na tę operację? – zapytał go Will, wydłużając lunetę najbardziej, jak to możliwe.

– Bliźniaki Prześcieradełka! – odpowiedział jednym tchem Tupper.

Gdy Will to usłyszał, opuścił go cały dotychczasowy entuzjazm. – Nieee… bliźniaki Prześcieradełka nie! To są totalne nieudaczniki! – zaprotestował.

– Ja natomiast mogę powiedzieć, że są moimi ulubionymi duchami – przekonywał przyjaciel. – Pomyśl tylko, Will: są doskonali do tego zadania... dwa duchy zawinięte w jedno fruwające prześcieradło. Czysta klasyka dla rodziny!

Kręcąc głową z dezaprobatą, Will wsunął wreszcie kauczukowe słuchawki do uszu, spojrzał przez lunetę i nakierował ją na dom Cliffordów. Ucho z brązu poruszyło się niczym antena paraboliczna. Po chwili Tupper zobaczył przyjaciela wywracającego oczami, jakby doznał wstrząsu elektrycznego.

– Och! – zawołał Willard Moogley. – Wierzę, że Harold nie może zmrużyć oka... ten dom, to jakieś delirium!

– Co się dzieje?

– Trzy telewizory są włączone w trzech różnych pokojach – zaczął opowiadać Will, zaglądając przez rozświetlone okna do domu Clifforda. – Pani Clifford rozmawia przez telefon – ciągnął z niezadowoloną miną – i wrzeszczy, jak obdzierana ze skóry!

– Co za koszmar – skomentował Tupper.

– Na tym nie koniec! Dzieciaki w kuchni targają się za włosy o jakiś karton mleka o smaku bananowym...

– Jak się chce, to każdy powód jest dobry.

– Tymczasem pan Clifford śpi sobie na kanapie...

– No, przynajmniej on jest cicho.

Ucho nastawiło się na właściwy kierunek.

– Żartujesz? – zapytał Will. – Chrapie tak mocno, że wydaje się, że połknął młot pneumatyczny!

– A niech mnie! Ale udręka!

Słyszące Oko zaczęło obracać się wkoło. – To przecież już wszyscy… – powiedział Will.

Nagle urządzenie zatrzymało się, nastawiając ucho, jak pies myśliwski.

– No i są bliźniaki Prześcieradełka! Wchodzą właśnie przez komin! – zawołał blady chłopiec.

– Fantastyczne bliźniaki! – krzyknął Tupper. Potem, świadomy swojej odpowiedzialności za ich wybór, dodał: – Mam nadzieję, że się uda…

– Już są… już są… Weszły do salonu… – powiedział Will, rozpoczynając komentować jak sprawozdawca sportowy.

– Proszę… Oj… Ach…!

– Co? Co się tam dzieje, Will? – zapytał przyjaciel w napięciu.

– Już nic nie da się zrozumieć, Tupper… wszyscy kwiczą, wrzeszczą… cały dom jest spanikowany!

– Dobrze!

– Tak, celne uderzenie! Brawo! Dobrze im idzie! Właśnie rozsiewamy terror w tym domu... – Will rozpromieniony opuścił Słyszące Oko. – Założę się, że w ciągu dwóch minut cała ta pokręcona rodzina Cliffordów zwieje tam, gdzie pieprz rośnie.

– O, Will! – Tupper zaczynał się niecierpliwić. – Ja też chcę coś zobaczyć.

Will nie miał nic przeciwko temu. Z uśmieszkiem przyjemności podał Słyszące Oko przyjacielowi i, krzyżując ręce na piersi, patrzył ponad horyzont, jak wielki dowódca na polu walki. – No pewnie, Tupper. Ty też masz prawo uczestniczyć w tak niebywałym triumfie Agencji Duchów Willarda Moogleya! – dopowiedział radośnie.

– Hmm, fantastycznie... – taka była odpowiedź Tuppera, zajętego już obserwacją tego, co działo się w domu Cliffordów. – Ale!

– W momentach takich jak ten, rozumiem, jakie miałem szczęście. Tylko praca taka jak nasza może ci dać tyle satysfakcji, prawda? – kontynuował zadowolony z siebie Will.

– Tak... – odpowiedział lakonicznie Tupper. – Wydaje mi się jednak, że...

– Już uciekają?

– Hmmm, tak... ale... o kurczę!

– A! Wiedziałem, że tak będzie!

– Will… jest mały… hmmm… tak naprawdę, to bliźniaki Prześcieradełka zaczynają uciekać!

– Coooo?! – zdumiał się Will. – Co do diabła mówisz, Tupper? Daj mi popatrzeć!

Kościsty właściciel Agencji Duchów wyrwał Słyszące Oko z rąk przyjaciela i skierował je prosto w kierunku przedpokoju domu Clifforda.

Scena, którą zobaczył na własne oczy, była żałośnie przygnębiająca: bliźniaki Prześcieradełka, piszcząc swoimi lamentującymi głosikami, uciekały z korytarza na schody, ścigane przez te dwie autentyczne furie, małych Cliffordów uzbrojonych we wzbudzający szacunek odkurzacz i spray przeciw molom.

Tupper usłyszał jęk wychodzący z ust przyjaciela, który opadł bezsilnie na parapet. – Bliźniaki Prześcieradełka, nie…

Tupper zagryzł usta, czując się winnym tej klęski.

Will natomiast odsunął daleko Słyszące Oko i odwracając się w stronę swojego pulchnego asystenta, poprawił się: – W momentach takich jak ten, Tupper, żałuję, że nie dostałem w spadku lodziarni!

Operacja Clifford: Akt II

– Wy dwaj, wracajcie tutaj! – zawołał Tupper z głową tkwiącą w zegarze Janua.

– A w życiu! – odpowiedziały jednomyślnie rozżalone głosiki bliźniaków Prześcieradełek.

– Nigdy więcej nie będziemy pracować dla waszej agencji! – zaświstał jeden z nich.

– Nawet żywi! Wydaliście nas na pożarcie tym bestiom… – poparł go drugi.

– Jakie bestie? To wy nie potraficie przestraszyć nawet dzieciaków z przedszkola! – zawarczał na nich karcąco Tupper.

– Daj im spokój… – powiedział Will, głosem spokojnym i opanowanym. – Te dwie pokręcone niedorajdy nie przydadzą nam się już do niczego.

Bliźniaki Prześcieradełka zniknęły w Królestwie Du-

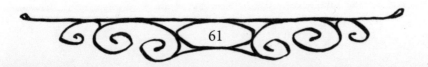

chów i Tupper, głęboko wzdychając, wysunął głowę ze środka zegara.

– Co teraz zrobimy?

Will wydobył srebrne cebulisko z dna swojej kieszeni i przyglądał mu się chwilę. – Powiedziałbym, że mamy wystarczająco dużo czasu, by wypić kufel mleka i zjeść krem z potrójną czekoladą *Choco Smash* – powiedział na pocieszenie.

Tupper potwierdził skinieniem głowy i obaj udali się do kuchni.

Kilka minut później odkładali puste kufle na stół z miną wyrażającą pełnię rozkoszy.

– Fantastyczna! – ocenił Tupper z mlecznoczekoladowymi wąsami pięknie wyrysowanymi pod nosem. – Ale co my teraz zrobimy?

– Teraz tam wrócimy, Tupper.

– I…?

– I rozwiązanie problemu z Cliffordami znajduje się przed naszymi oczami!

Pomimo klęski bliźniaków Prześcieradełek, od kiedy pojawiła się sposobność wywarcia dobrego wrażenia na Susan dzięki tej historii ze skamielinami, Will miał doskonały nastrój i wciąż był w siódmym niebie.

– Nie pozostaje nam nic innego, jak tylko poszperać

w kufrze z naszymi zasobami *curriculum mortis* – dodał.
– I zobaczysz, że znajdziemy tego odpowiedniego do naszego zadania.

I tak właśnie zrobili.

Pół godziny później Will zagwizdał, wymachując starą, zażółconą teczką.

– Upiorzysko pierwszej kategorii? – zapytał go zaciekawiony Tupper.

– A żebyś wiedział!

Bez dodatkowych wyjaśnień, Will skierował się do Przywoływacza Duchów, aby ustalić natychmiastowe spotkanie z duchem, którego właśnie wybrał.

– Jak poszło?

– Świetnie. Jest wolny. I powiedział, że będzie tu za moment…

Faktycznie, chwilę później Janua zaczęła poruszać się i wibrować, gdy chłopcy tymczasem poczuli lodowate tchnienie wiatru spirytystycznego, który uleciał z jej wnętrza.

– A niech mnie… – drżąc, wymamrotał Tupper ze spojrzeniem utkwionym w starym zegarze z ciemnego mahoniowego drewna.

W domu zaczęły rozlegać się zgubne i złowieszcze dźwięki kobzy.

– A oto i on… – wyszeptał Will.

Tupper z wybałuszonymi oczami cofnął się, robiąc krok do tyłu.

Skrzypiący śpiew kobzy narastał i narastał, aż stał się prawie hipnotyczny. I nagle w jednej chwili…

BOOOM!

W ciemnym wnętrzu Januy zmaterializowała się imponująca postać szorstkiego ducha z ciskającymi ognie oczami.

– Kobziarz McPeppard, Dreszcz Highlandsów! – przedstawił Willard Moogley, zachwycony ekspresją tej zjawy.

Groźny Kobziarz miał na sobie tradycyjny szkocki strój z niezliczonymi kobzami. W kraciastym wzorze jego kostiumu przeplatały się dwa ponure kolory: spirytualny błękit i grobowy granat. Długa biała broda i głowa z rozwichrzonymi włosami dopełniały jego przerażającego wyglądu.

– Nooo, fakt, dźwięk tych dud rzeczywiście robi wrażenie, aż włosy stają na głowie… – powiedział Tupper.

– To jest KOOOBZA! Co za bezużyteczny kawał mięcha! – krzyknął ostro duch, tak pierwotnym, jaskiniowym głosem, że zadrżały wszystkie meble w domu.

– Hmmm… dobry wieczór panie Kobziarzu, ja jestem Willard Moogley z Agencji Duchów Willarda Moogleya – włączył się przezornie Will, podczas gdy Tupper zbladł niczym kreda.

– Dobry wieczór, młodzieńcze! – odwzajemnił się Kobziarz, wlepiając swe płonące ślepia w chudego chłopca, który stał przed nim. – Musisz wiedzieć, że nie jestem typem, który wdaje się w niepotrzebną gadaninę, zatem mów mi szybko, co za interes masz do mnie!

– O jasne, panie Kobziarzu, przejdę niezwłocznie do rzeczy: praca, którą panu proponuję polega na śmiertelnym sterroryzowaniu pewnej *rodziny* z Brooklynu, która…

– Co takiego?!!! – przerwał mu ostro duch ze szkockich Highlandsów. – Rodziny?

– Tak, zaraz panu wytłumaczę – zaczął wyjaśniać Will.

– No co ty, oszalałeś?! – zapytał wściekły duch, zupełnie ignorując słowa chłopca. – Alister Kobziarz! Ten, który straszył królów i królowe! Ten, który przerażał swoją mrożącą kobzą całe armie i ich przywódców… miałby teraz zjawić się u jakiejś *rodziny* z Brooklynu? Przesadzsz!

Wypowiadając te zjadliwe słowa, nieposkromiony

szkocki duch odwrócił się na pięcie, zdecydowany przejść z powrotem przez wrota czasoprzestrzeni.

– Przykro mi, że tak pan odchodzi – zaczął Will. – Szkoda…

– A mnie nie szkoda! – zaszemrał duch.

– Hmmm, to znaczy, że nawet pan nie spróbuje… tego! – dodał właściciel agencji, wyjmując butelkę.

Była to jedna z tych bardzo starych pękatych butelek napełnianych w piwnicy domu Moogleya, zrobionych ze specjalnego rodzaju szkła, które także duchy mogły wziąć w ręce.

Pan Kobziarz rzucił szybkie spojrzenie, nie odwraca-

jąc się w kierunku chłopca. Tupper także, śledząc scenę z rogu pokoju, z sercem w gardle wytężył wzrok, by przeczytać etykietkę na butelce: *Ektoplazma Moogleya – Rezerwa specjalna 1836.*

Will tymczasem odkorkował już butelkę z charakterystycznym trzaskiem. Słysząc ten dźwięk, pan Kobziarz nagle się zatrzymał.

– Proszę uprzejmie! Zechce pan skosztować? – zaproponował żwawo Will, podając wiekową ektoplazmę szkockiemu duchowi.

Nie trzeba było tego powtarzać panu Kobziarzowi dwa razy. Chwycił butelkę za szyjkę i zaczął chłeptać ektoplazmę. Twarz Kobziarza zaczęła szybko przybierać szczęśliwy wyraz.

– Co za pyszności! – komentował między jednym łykiem a drugim.

– Ektoplazma Moogleya, najlepsza na rynku! – zapewnił Will. – I rekompensatą za tę pracę byłoby jeszcze dziesięć takich butelek!

Dreszcz Highlandsów wydawał się zdecydowanie mięknąć. Patrzył na chłopca obłudnym wzrokiem.

– Uparciuch z Moogleyów... – powiedział dobrotliwym głosem – zrzędliwy Moogley. To jaki jest ten adres na Brooklynie?

– Tak! – ucieszyli się Will i Tupper, wymieniając entuzjastyczne spojrzenia.

– To jest pod dwunastym na ulicy Montague, rodzina nazywa się Clifford – wyjaśnił Will.

– Zgoda, chłopcze, nie traćmy czasu – podsumował pan Kobziarz, kierując się do Januy. – I przygotuj te butelki, migiem będę z powrotem!

– Proszę nie lekceważyć Cliffordów – uprzedził go Will. – To twarde orzechy do zgryzienia.

– Twarde orzechy, żeby nie czasem… – zamruczał Szkot. I zniknął wewnątrz zegara.

Tupper i Will ponownie zostali sami.

– Fantastycznie.

– Tak więc w czasie, gdy pan Kobziarz będzie raz na zawsze robił porządek z Cliffordami, nie pozostaje nam nic innego, jak znaleźć jakiś sposób na zabicie czasu.

I zaczęli spoglądać jeden na drugiego z uśmiechem zrozumienia widocznym na twarzy. Obaj pomyśleli dokładnie o tym samym.

– FINAŁ ROBO – TENIS 3! – krzyknęli jednogłośnie, biegnąc szybko do starego telewizora.

Dwaj chłopcy połączyli w wielkim pośpiechu wszystkie kable konsoli K – BOOMZ i rozsiedli się wygodnie, z joystickami w rękach, w głębokich fotelach w salonie. Byli gotowi do walki. Finał Robo – Tenis 3 był grą wideo, bardzo modną w tym czasie i pożądaną przez wszystkich chłopców. Był to pewien rodzaj futurologicznego tenisa, gdzie gigantyczne cyborgi walczyły na placu ze stali nierdzewnej, usiłując trafić tytanowymi racami w rozżarzoną piłeczkę.

Will zainicjował grę jednym ze swoich słynnych zabójczych serwisów. Zaraz potem dwaj przyjaciele wpadli w wojenny trans.

Zahipnotyzowani grą kołysali się na fotelach, pochłonięci elektryzującym meczem. Przez jakiś czas zapomnieli o istnieniu reszty świata. W pewnym momencie Tupper podniósł się nagle na nogi, wymachując joystickiem na znak radości, podczas gdy na ekranie migały obrazy niesamowitej eksplozji.

– Zwycięstwo! – wrzeszczał Tupper, nie posiadając się z radości.

– Nieee... – zaprotestował Will. – Tak nie można... nie walczyłeś ze mną, tylko pociskiem zniszczyłeś mojego robota!

– To twarda gra, Will. Musisz to zrozumieć – odpowiedział okularnik, przyjmując postawę wszystkowiedzącego mędrca.

Will opadł na oparcie fotela obezwładniony porażką i obaj siedzieli, każdy w odmiennym nastroju, rozmyślając nad przebiegiem meczu.

– Ej, Tupper, ty też słyszysz ten skowyt?

– Pewnie, że go słyszę! – zaśmiał się Tupper. – To twój dopalający się cyborg...

– Przestań już! Nie ten hałas. Mam na myśli ten rodzaj... świstu.

Tupper nadstawił uszu i wsłuchiwał się przez chwilę.

– Masz rację! To jakby rodzaj syku!

– Coś mi się zdaje, że piec gazowy znów się zepsuł! – wyjęczał Will.

– A nie kazałeś go naprawić w zeszłym tygodniu? – zapytał przyjaciel, poprawiając na nosie okulary.

– Tak, ale naprawiał go Leo Miggins.

– Hmmm... zatem zdecydowanie mamy powód, by iść i rzucić tam okiem.

Dwaj chłopcy wstali, by udać się do łazienki, ale nie zdążyli się nawet odwrócić, gdy zrozumieli, że podgrzewanie wody nie ma z tym hałasem nic wspólnego.

Lewitując w powietrzu, zatrzepotała nad nimi postać ducha Kobziarza.

Był po prostu nie do zidentyfikowania. Jego wzburzona czupryna była oklapnięta, jak bukiet zwiędłych kwiatów. Oczy, które godzinę temu były żarzącymi się węglami, teraz wydawały się zgaszone i zagubione w pustce. Biedaczysko wciąż dmuchał w swoją kobzę, boleśnie teraz powykręcaną, mogąc wygrać tylko ten nieokreślony dźwięk, między sykiem, świstem i skowytem, który Will i Tupper słyszeli w swoich fotelach.

Przyjaciele spojrzeli zaniepokojeni na siebie.

– Hmmm... problemy, panie Kobziarzu? – zaryzykował Will.

– Pytasz o problemy? – patrząc nieprzytomnie, odpowiedział szkocki duch skrzypiącym głosem. – Pozwól, że ci opowiem, przyjacielu... Dotarłem tam i wskoczyłem do domu. Żona mnie widzi i nic sobie z tego nie robi. Nawet nie krzyknie. Patrzy na mnie i mówi: „Proszę, jeden z tych obrazów wykreowanych przez komputer. Już nie wiedzą, co wymyślać, dla reklamy!" Nadchodzi mąż i też nic sobie ze mnie nie robi. Patrzy na mnie, wzdycha i komentuje: „To na nic, bez sensu! Nigdy mnie nie przekonają do kupienia tych ich cuchnących szkockich wędzonych wędlin". No to ja nabieram powietrza w płuca i atakuję moją najbardziej przerażającą melodią z kobzy. W tym momencie nadeszły dzieciaki, które wsparły mo-

ją antyczną pieśń żałosnym chórkiem… Chcecie posłuchać, co było potem?

– Hmmm… no cóż… nie, dziękuję, panie Kobziarzu… Mam wrażenie, że już rozumiem… Misja u Cliffordów nie udała się najlepiej – pospieszył z odpowiedzią zakłopotany Will.

Jedyną reakcją ducha był rodzaj zgaszonego śmiechu.

– A niech mnie! – wyszeptał Tupper przyjacielowi do ucha. – Szok po prostu usmażył mózg temu tam!

Will zmroził wzrokiem przyjaciela i ponownie spróbował porozmawiać z panem Kobziarzem:

– Pewien jestem, że zrobił pan, co tylko było możliwe, zatem będzie mi miło móc zaproponować panu jeszcze jedną butelkę naszej ektoplazmy…

– Nie! Zatrzymaj ją! – przerwał mu pan Kobziarz, jakby odzyskał minimum jasności umysłu. – I nie nazywaj mnie nigdy więcej, z żadnego powodu, w ten sposób… ani w ten drugi.

Will nie miał nawet czasu, by odpowiedzieć i Dreszcz Highlandsów zanurzył się we wnętrzu Januy, znikając w ciemności.

– A niech mnie, co się dzieje! – zawołał zdumiony Tupper.

– Wiesz, co ci powiem, Tupper? – wyszeptał Will,

gryząc nerwowo paznokcie. – Na tych Cliffordów muszę znaleźć coś naprawdę specjalnego!

– Jeszcze bardziej specjalnego od pana Kobziarza? – zapytał niedowierzająco przyjaciel.

– W ekstremalnych nieszczęściach – zaczął Will, kierując się w stronę szafki z chińskiej laki, ukrytej w jednym z kątów salonu…

– Chcesz wystraszyć ich za pomocą tej szafki? – zamruczał pod nosem Tupper. – No wiesz, faktycznie nie jest ładna, ale nie sądzę, że…

– Cicho bądź, Tupper! – przerwał mu Willard Moogley. – Teraz coś ci zademonstruję.

Chłopiec włożył rękę w jakieś rozdarcie okropnie niedbale położonej tapety i wyciągnął maleńki mosiężny kluczyk. Pootwierał kolejno wszystkie zamknięcia chińskiej szafki, otworzył ją na oścież i wyciągnął z jednej z szufladek przyżółcony zeszyt.

W jednym narożniku okładki znajdowała się etykietka, na której widniało antyczne, ręczne pismo: *Czarna Księga zbuntowanych duchów. Nie używać w żadnym przypadku!!!*

– Czarna Księga wuja Alvina! – ogłosił entuzjastycznie Will.

– Ale tam jest napisane… – kiwał głową Tupper.

– Co tam! – przerwał mu przyjaciel. – Wuj Alvin zawsze był trochę zbyt wrażliwy. Zobaczysz, że w tym zeszycie znajdziemy broń przeciw Cliffordom!

Tupper usiłował przytaknąć, nie był jednak przekonany.

– Ech, Will, a nie wpadniemy przez to w kłopoty?

6

SZALEŃSTWO
W MUZEUM

– Hmmm… pan Plum? – zaczął Will, trochę zakłopotany, stojąc tuż przy wyjściu bezpieczeństwa Muzeum Van Thel & Tessar.

Był wczesny poranek. Jeden z tych nowojorskich ranków, kiedy wszystko wydaje się nieruchome, także te miliony ludzi na ulicach, nieprzerwany ruch i młoty pneumatyczne, które uderzały bez końca.

Skromnego ducha nocnego strażnika trzeba było wołać dwa razy, zanim zdał sobie sprawę, że głos był skierowany do niego.

– Oh, proszę mi wybaczyć, panie Moogley! – przeprosił. – Nie rozpoznałem pana. Nie sądziłem, że może mnie pan zobaczyć także poza swoją agencją.

– Proszę się nie martwić, panie Plum – uśmiechnął się Will.

– To naprawdę szczególna właściwość – kontynuował ze szczerym podziwem poruszony stróż.

Will przytaknął pospiesznie. Nie chciało mu się absolutnie teraz opowiadać o tym, jak wuj Alvin dostrzegł tę jego zdolność, jak wówczas postanowił właśnie jego uczynić swoim spadkobiercą i przekazać mu kierowanie agencją, wywołując tym samym gniew i wściekłość swojej siostry Maud i jej przyjaciółeczek pasjonujących się okultyzmem.

Ciotka Maud, przekonana święcie, że to ona prawowicie dziedziczy Agencję Duchów, wypowiedziała Willowi wojnę, demonstrując niejednokrotnie, że jest gotowa na wszystko, byleby tylko przejąć kontrolę nad zegarem Januą. Na szczęście jednak, przynajmniej do tej pory, nic nie udało się jej osiągnąć.

– Przyszedłem zobaczyć się z panem tutaj, panie Plum, ponieważ… – zaczął mówić Will.

– No tak! – odezwał się duch. – Proszę mi wybaczyć, nie uprzedziłem pana, ale rodzina Cliffordów nie daje mi odetchnąć, zdecydowałem się wrócić do pracy, ot tak, dla zabicia czasu. A propos, jak się mają sprawy?

Will pokręcił głową.

– Nie ma sensu niczemu zaprzeczać. Ta rodzina to twardy orzech do zgryzienia. Już dwa razy usiłowaliśmy

ich przestraszyć i jak na razie nic nam z tego nie wyszło. To tak, jakby ich mózgi odbierały na innych falach, jakieś… dziwadła nadprzyrodzone.

Harold Plum smutnie pokiwał głową, wpatrując się w ziemię.

– Wiedziałem.

Po chwili ponownie spojrzał na Willa znad swoich czarnych okularów.

– Ale planuje pan jeszcze raz spróbować?

– O tak, pewnie, że tak – odpowiedział Will, zacierając ręce. – Kiedy ktoś zwróci się do Agencji Duchów Willarda Moogleya, może być pewien rezultatów.

– To się cieszę. To się cieszę – zareplikował pan Plum, ziewając. – Już nie mogę doczekać się powrotu do mojego domku, razem z panią Mollyflower, która tak kocha gardenie i… niczego więcej nie pragnę.

Widząc, że Will wciąż stał przed nim i nic nie mówił, pan Plum domyślił się, że celem dzisiejszej wizyty chłopca nie było tylko takie sobie pogadanie, jak to miało miejsce dotychczas.

– Mogę w czymś panu pomóc?

– A więc… no cóż… faktycznie… w rzeczywistości… tak – wydusił w końcu Will. – Zastanawiałem się mia-

nowicie, czy… – Will uniósł wzrok na zarysy dachu budynku, w którym mieściło się muzeum. Była to jedna z tych niepowtarzalnych willi o nieodpartym uroku, jakby zapomnianych w niezliczonej ilości budowli, gmachów i drapaczy chmur Nowego Jorku. – Widzi pan… ja i moja przyjaciółka Susan zajmujemy się teraz pewnym zadaniem, bardzo dla nas ważnym…

– Jakiego rodzaju zadaniem, panie Moogley?

Jak się wydaje, Harold Plum albo nie był w stanie zwrócić uwagi na młody wiek Willa, albo unikał jego zauważenia.

Zatem chłopiec zdecydował się kontynuować tę fikcję:

– Dla pewnej instytucji publicznej, z którą oboje… hmmm… współpracujemy.

– Rozumiem. W jaki sposób mógłbym wam pomóc?

– Nasze badania dotyczą … skamielin.

Harold Plum ziewnął.

– A to coś nowego! Pięćdziesiąt lat już minęło, od kiedy pilnuję skamielin.

– Właśnie o to chodzi! – zawołał Will. – To nad czym ja i moja… koleżanka… się zastanawialiśmy… to… czy pan, biorąc pod uwagę pana doświadczenie i znajomość muzeum… czy byłaby, jakby to powiedzieć… możli-

wość wydania nam jakiejś skamieliny, naturalnie chcie-
libyśmy pożyczyć i to tylko na kilka dni.

– Chciałby pan, bym ja panu wydał muzealną skamielinę?

– Tak… tak jakby. Byłbym panu bardzo zobowiązany.
Harold Plum pokiwał lekko głową.

– No tak, ale ja jestem tylko stróżem nocnym. Trzeba
dodać, że stróżem zmarłym i pogrzebanym. A skamieliny Muzeum Van Thel & Tessar nie należą do mnie, ale
do pewnej starej holenderskiej rodziny.

– Do Van Thel & Tessar – powiedział Will. – To
wiem, ale…

– Naturalnie, jakby się tak zastanowić… byłaby jakaś
możliwość – kontynuował pan Plum. – Gdybyście, pan
i pana koleżanka, zadowolili się jakąś mniejszą skamieliną… jedną z tych mniej interesujących…

– Naturalnie! – uradował się Will. – W zupełności by
nam taka właśnie wystarczyła.

– No to nie widzę żadnych problemów. Jeśli pan wejdzie
tym wyjściem bezpieczeństwa, tu… i potem zejdzie korytarzem… pierwsze drzwi na lewo to drzwi laboratorium
eksponatów restaurowanych. Z tego, co wiem, możecie
wziąć którykolwiek chcecie. Klucz jest pod wycieraczką.

Will był zachwycony.

– To fantastycznie, panie Plum, naprawdę fantastycznie.

Spojrzał na drzwi wyjścia bezpieczeństwa, poprzez które duch dopiero co przeszedł i zapytał go: – Jedyny problem więc, to… zdołać przejść wejściem bezpieczeństwa?

– O nie, nie sądzę – odrzekł Harold Plum. – Powinno być otwarte.

– Otwarte? – zdziwił się Will, próbując otworzyć. Stary strażnik miał rację. – A nie powinno tu być specjalistycznych alarmów czy… czegoś w tym stylu?

– Na jakim świecie pan żyje, panie Moogley? – zażartował starzec, oddalając się z ziewnięciem. – Zdarzyło się panu widzieć kiedyś kogoś usiłującego desperacko wejść do muzeum skamielin? Niech już pan idzie, niech pan idzie. Rodzinie Van Thel & Tessar będzie z pewnością przyjemnie wiedzieć, że ktoś wszedł podziwiać ich kolekcję starych skamielin!

Czarująca Susan zasapana dołączyła do Willa pół godziny później.

– Will? Oszalałeś? – zapytała, z zaróżowioną od biegu twarzą. – Musimy już iść do szkoły!

– No wiem, wiem… – powiedział Will. – Tak, ale

muzea mają określone godziny otwarcia i… mój przyjaciel był już wystarczająco uprzejmy, że nam otworzył o tej godzinie, nie wydaje ci się?

– Chcesz powiedzieć, że otworzył muzeum specjalnie dla ciebie?

– Dla nas, chciałaś powiedzieć – uśmiechnął się Will. Oparł się o drzwi wyjścia bezpieczeństwa i popchnął je delikatnie.

– Pozwolisz?

Susan, lekko oszołomiona, wyprzedziła go nieznacznie.

– Jesteś pewien, że możemy?

– Naturalnie! – odpowiedział Will, podążając w dół za nią.

Znaleźli się na dole schodów, które z jednej strony wznosiły się ku górze do ekspozycji na parterze, a z drugiej, przez mały korytarz, prowadziły na dziedziniec wewnętrzny willi.

Will postanowił zachować się jak mężczyzna i zanim zaprowadził Susan do laboratorium eksponatów restaurowanych, pozwolił jej rozejrzeć się po całym piętrze.

– O! Zobacz, jaki jest cudny, Will! – zaszczebiotała dziewczyna na widok jakiegoś szkieletu, kto wie jakiej

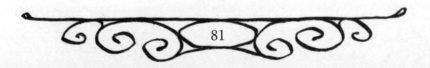

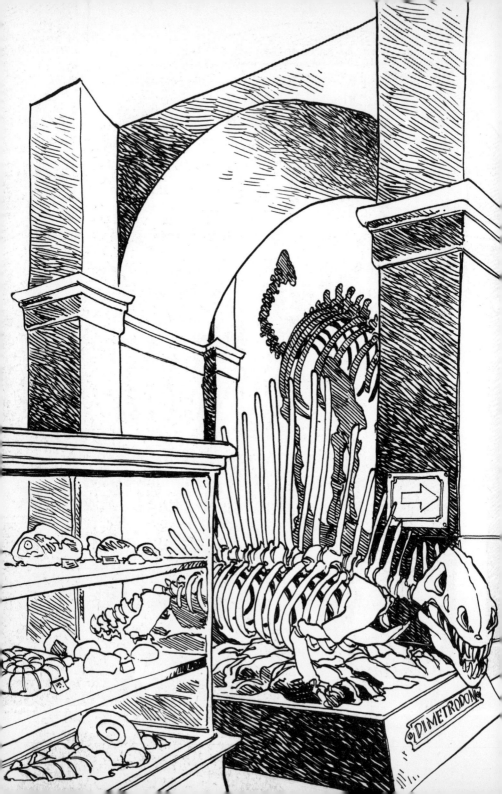

T - REX

bestii. – To autentyczny Diplodocus Spiniflex! Nie widziałam go, kiedy byłam tu ostatnim razem.

– Hmmm – to było wszystko, co Will zdołał wydukać.

– Chodź zobaczyć moje ulubione! – trajlowała dalej Susan, prowadząc szkolnego kolegę do witryny zawierającej zbiór okrągłych kamieni. – Co ty na to?

– Że prehistoryczni grali w kulki?

Susan roześmiała się, podziwiając Willa za cięty dowcip. – No coś ty, żartujesz! To jaja Zublekione Quaternario doskonale zakonserwowane.

Chociaż Will był odporny na każdy rodzaj kultury i wiedzy, która nie była bezpośrednio kierowana joystickiem, musiał przyznać, że krążenie w tej perfekcyjnej ciszy między okazami muzeum było niezwykle fascynujące. I szkoda byłoby to zrujnować, ryzykując przyłapanie przez panią bileterkę, która miała tu się pojawić za kwadrans.

– Sądzę, że musimy już iść, Susan – powiedział do przyjaciółki, kiedy doszli do schodów.

Wyraz głębokiego rozczarowania pojawił się na ślicznej twarzy dziewczyny.

– A nie wejdziemy zobaczyć jeszcze Pleroratti Pungiformi?

– Obawiam się, że nie, Susan. W przeciwnym razie…

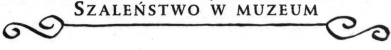
Odrzucił kolejne możliwe następstwa: „Zamkną nas w ciupie na miesiąc", „Będą gonić nas po całym Nowym Jorku, wyzywając od złodziei" i wybrał podstępne:

– W przeciwnym razie spóźnimy się do szkoły.

Susan spojrzała na zegarek i powiedziała: – No tak! Masz rację. Czas tak szybko leci, nie zdawałam sobie sprawy. Ale jest tak cudnie być tutaj z tobą, że…

Być może Susan powiedziała coś jeszcze, ale Willowi pozostały w głowie tylko trzy słowa: „cudnie" i „z tobą". To jakby przyzwolenie… – szalał z radości, kiedy przeszli na dziedziniec.

Podszedł pod pierwsze drzwi na lewo, uchylił wycieraczkę i podniósł klucz pod nią ukryty. Oto i on. Mój przyjaciel mówił prawdę. Otworzył kluczem drzwi prowadzące prościutko do laboratorium restaurowanych eksponatów, które przemianował specjalnie dla Susan na „kolekcję osobliwości".

Przekrzywiona lampka zwisała pod sufitem, oświetlając niewyobrażalnie zakurzone pomieszczenie. Laboratorium usiane było całym mnóstwem kamieni i różnych innych materiałów raczej dziwacznej natury, które nie wiadomo czy były wężami, czy skamieniałymi korzeniami, czy kośćmi jakiegoś gigantycznego ptaka z epoki neolitu. Pełno tu było też rur, desek, listewek, starych kranów i czegoś, co niedwuznacznie zdawało się starą zepsutą umywalką.

Will nie mógł sobie darować, że nie zrobił wizji lokalnej, zanim wszedł tu razem z Susan i z zakłopotaniem wydukał dla wyjaśnienia: – Mój przyjaciel mówił mi, że właśnie są w trakcie jakiś prac renowacyjnych, ale… jak widać, są tu prawdziwe muzealne skamieniałości, które…

– A psik! – taki był komentarz Susan, kiedy kichnęła pierwszy raz. Chciała przepraszać i… a psik! Nastąpiło drugie i trzecie kichnięcie.

– To… kurz! – powiedziała dziewczyna, zanim wróciła na dziedziniec.

Will to wykorzystał, chwycił z leżących na podłodze kamieni pierwszy, jaki wpadł mu w ręce i wyszedł za Susan z pośpiechem.

Potem, tak szybko, jak mógł, pokierował Susan do wyjścia z muzeum, prosząc Boga, by prędzej czy później przestała kichać.

– Przepraszam, Will! Tylko, że w nosie mnie drapie, i…

– Telefon – zauważył chłopiec.

– A psik!

– Twoja komórka dzwoni.

Susan długo grzebała w plecaku, w końcu znalazła telefon, przeczytała imię i podała go Willowi.

– To twój przyjaciel.

– Mój przyjaciel?

– Ten w okularach.

– Tupper? A skąd do diabła on ma twój numer? – Will wziął komórkę i odpowiedział.

– WIIIIIILLLAAAAARD! – wył Tupper. – PRO-OOOOOSZĘ CIĘ!

– Tupper? Co się tam dzieje? Co to za kocia muzyka? Gdzie ty jesteś?

Gdyby sądzić po hałasie, musiałby znajdować się w pralce w trakcie wirowania.

– U ciebie w domu! – wyjęczał Tupper.

Will wyobraził sobie, jak przerażony czymś Tupper chwyta się słuchawki telefonu niczym koła ratunkowego.

Koło ratunkowe. Burza na morzu.

– To wyszło z Januyyyy! – krzyczał dalej przestraszony nie na żarty Tupper.

– No wiem! – zawołał Will na to. – Tupper musisz wytrzymać! Zaraz będę!

– Pospiesz się!

Will zakończył rozmowę i oddał telefon czarującej Susan.

– Gdzie idziesz?

Oddał jej też stary kamień. – Ty możesz już wracać do szkoły. Ja muszę zajść jeszcze na moment do domu.

– Ale spóźnisz się!

– Niestety muszę – odpowiedział Will.

Zresztą nie miał wyboru. To co się działo z Tupperem, mogło mieć tylko jedno jedyne wyjaśnienie: nadszedł okropny Gardłopodżynacz Flint, Postrach Mórz Sargassowych, z tą swoją bandą małpich szkieletów.

„Gardłopodżynacz Flint" myślał jeszcze Will, biegnąc co sił do domu. Był to praktycznie jedyny duch, którego imię wuj Alvin wykasował z inwentarza Curriculum Mortis w obawie, że ktokolwiek mógłby go wywołać.

Był to, bez cienia wątpliwości, najbardziej przerażający pirat siedmiu mórz, najbardziej złośliwy awanturnik wszech czasów na planecie, najokrutniejszy nożownik Karaibów.

Teraz mógłby zatrwożyć Cliffordów.

POSTRACH
MÓRZ SARGASSOWYCH

Will siedział dosyć sztywno na jednym z dwóch foteli z czarnej skóry. Bez sensu ściskał w palcach pióro, co chwilę przekładając je z ręki do ręki.

Tupper stanął skromnie z tyłu za fotelem i tylko od czasu do czasu wyglądał, by zerkać na to, co się działo. Wystarczyło mu jednak tylko zerknąć i zatrwożony cofał się z powrotem za fotel.

– Mówiłem panu, panie Gardłopodżynaczu Flint… – zaczął mówić Will załamanym głosem – że potrzebujemy pańskiej pomocy do…

– Ach! Ach! Ach! Ach! Ach! Ach! – zaryczał duch pirata, trzymając nogi na stole. Jego straszny ryk zatrzymał na moment małpie szkielety, które, piszcząc wściekle, bezładnie przeskakiwały z jednej szafki na drugą.

Gardłopodżynacz Flint wyjął kolejny raz swoją długą

szablę z postrzępionym ostrzem i skierował ją prosto na Willa. – Pomóc wam!? Ja?! Ja was ugotuję żywcem! Ach! Ach! Ach! Ach! Ach! Ach!

– Na tysiąc grubasów! Na wszystkich grubasów! Ja to mówiłem, mówiłem, żeby nie otwierać Czarnej Księgi… – zaczął zawodzić obezwładniony strachem Tupper skulony za oparciem fotela.

– Zamilcz, Tupper.

– Chodźmy stąd, Will! On to zrobi naprawdę!

– Nie może! Jest duchem!

Tupper przez moment skakał wzrokiem po salonie. Wszędzie wokół fruwały, jak w jakimś amoku, różne przedmioty: pióra, książki, kartki, samochodziki, kartony po pizzy, płyty DVD, pozwijane skarpety, puszki po *Choco Smash*… cała kolekcja przedmiotów, o których dwaj chłopcy zapomnieli lub rozrzucili po pokoju.

– No to jak on wprawia w ruch wszystkie te rzeczy? – zapytał zdesperowany Tupper.

– To efekt iluzji, związany z jego objawieniem się – wyszeptał Will, wciskając się głęboko w fotel, by uniknąć zderzenia się z lampą, która leciała mu prosto w twarz. Jeden małpi szkielet skoczył tuż obok Tuppera, piszcząc przeraźliwie.

– Sio! Sio! Zjeżdżajcie stąd wściekłe bestie! – odganiał je histerycznie Tupper.

W zamieszaniu, które było konsekwencją pojawienia się Postrachu Mórz Sargassowych, tylko papuga Zamilcz wydawała się w swoim żywiole. Zawieszona na srebrnym trójnogu bezustannie wrzeszczała:

– Flint! Flint! Śmierć wszystkim wrogom Flinta! Śmierć wszystkim wrogom Flinta!

Gdyby Will nie miał teraz poważniejszych problemów, z pewnością zająłby się troskliwie zgłębieniem tematu, kiedy i jak poznali się Gardłopodżynacz Flint i papuga jego wuja Alvina.

– Panie Flint… – podjął na nowo chłopiec. – Myślę, że jest dla pana jasne, że wywołałem pana po to, by… zaproponować panu pewne zadanie…

– Ach! Ach! Ach! Ach! Ach! Ach! – zawył pirat. – Gardłopodżynacz Flint powrócił!

– Dla uściślenia – westchnął Will, zabierając nogi z poduszki na fotelu, tym razem, żeby uniknąć ciosu od nadlatującej kasetki. – Wrócił pan, bo ja pana wywołałem.

– A ty niby kim jesteś, dzieciaku? Takich jak ty, to ja przybijam do drzewa i żywcem obdzieram ze skóry, chłopczyku!

Gardłopodżynacz miotał ognistym spojrzeniem w kierunku Willa, studiując uważnie całą jego postać. Postrach Mórz Sargassowych nie tylko spojrzenie miał niewiarygodnie przerażające: był wysoki, potężny, w okryciu z czarnej skóry, z łańcuchami, nosił absurdalny trójkątny kapelusz z doczepionymi małymi czaszkami, miał długą, ciemną brodę, podzieloną na dwie części zachodzące do tyłu za uszy, a całą skórę miał pokrytą bliznami i obrzydliwymi ranami. Gardłopodżynacz Flint mówił i poruszał się w sposób budzący postrach. Jego bandy małpich szkieletów też nie można było zlekceważyć.

Przez długą chwilę Will zagryzał wargi, myśląc, jak wielki błąd popełnił, wywołując z Królestwa Duchów tego krwiożerczego szaleńca.

Przeglądał szybko w myślach wszystkie uwagi, które sobie wynotował z Czarnej Księgi wuja Alvina, usiłując przypomnieć sobie jakieś wskazówki, które byłyby wsparciem i przekonałyby ducha do współpracy. Ale historia życia Flinta nie dawała żadnego punktu zaczepienia, nic niezwykłego: napad, grabież, morderstwo, napad, grabież, znowu napad, kolejne morderstwo. Bunt, atak, morderstwo...

– Ach! Ach! Ach! Ach! Ach! Ach! Śmierć małemu

okularnikowi! – Warczał tymczasem Gardłopodżynacz Flint, wskazując Tuppera czubkiem szabli.

Z dziesięć małpich szkieletów oczekiwało już w gotowości na wykonanie zadania, gdy tymczasem wszystkie fruwające w salonie przedmioty okrążały, jak małe tornado, pulchnego chłopca.

Przerażony Tupper porzucił swoje schronienie za fotelem i rzucił się biegiem w poszukiwaniu azylu w łazience.

– WIIIIILLAAAARD! ZRÓÓÓB COOOOOŚ! – krzyczał wciąż oddalającym się głosem.

– Gdzie uciekasz, cielęcinko? Chodź tu szybko! Ach! Ach! Ach! Ach! Ach! Ach!

Postrach Mórz Sargassowych przeszedł wzdłuż i wszerz stołu, odtrącając szablą przedmioty unoszące się i wibrujące w salonie. Rozejrzał się wokół, jakby zastanawiał się nad rodzajem ciosu, który chciał zadać. Wysunął zza paska jedną flaszeczkę, otworzył ją zębami, wypluł korek na dywan i pociągnął długi łyk… niczego. Flaszka była kompletnie pusta.

– Do stu diabłów! – zawył, rzucając flaszką o podłogę. – Skończył mi się grog! Armia! Idźcie i przynieście mi szybko baryłkę! Kapitan ma pragnienie!

W tym momencie zapaliła się lampka w głowie Willarda Moogleya. Grog, ulubiony napój piratów. Obrzydliwa mikstura z najgorszych likierów na wyspach: ognista woda spływająca do gardła. Tym może go przekonać!

– Do usług, kapitanie! – zasalutował. – Już przynoszę, na żądanie!

– Ruszaj się, pchło nieprzydatna! – ryknął Gardłopodżynacz Flint.

Willowi nie trzeba było powtarzać dwa razy. Wyszedł z salonu i wpadł do kuchni, gdzie znalazł Tuppera, usiłującego trzymać z dala od siebie małpie szkielety, grożąc im szpikulcem rożna.

– Szybko, Tupper, potrzebujemy baryłkę ektoplazmy! – wykrzyczał.

– W lodówce! – odpowiedział chłopiec, wylatując z kuchni z szybkością błyskawicy.

Will otworzył skrzypiące drzwi przepełnionej lodówki: w środku było mnóstwo pustych opakowań po napojach, ogromna ilość puszek *Choco Smash*, dużo już otwartych, z łyżeczkami w środku i tylko jedna butelka ektoplazmy Moogleya, ulubionego napoju duchów, przygotowywanego według sekretnego przepisu rodzinnego przekazywanego z pokolenia na pokolenie.

Otworzył ją i powąchał, została tylko odrobina.

– A niech to licho! Puste! – Zamknął gwałtownie lodówkę. Był przekonany, że miał jeszcze zapas, niedawno robił ektoplazmę!

– Nie zachodził tu ostatnio Big Jack przypadkiem?

– Był wezwany w piątek… tak!

Will zdruzgotany wyszedł z kuchni, złorzecząc łakomym duchom, które ograbiały jego agencję.

– Gdzie idziesz? – wyjęczał Tupper, osaczony fruwającym tosterem, którym małpie szkielety kręciły nad jego głową.

– Do piwnicy! Potrzebuję natychmiast nowej ektoplazmy!

– Nie zostawiaj mnie tu samego!!!!!

– Chcesz ty iść?

Tupper odparł atak małp, potem kolejny…

– Pospiesz się!!!

Will wziął wielki pęk swoich kluczy, wyszedł z mieszkania i wsiadł z pośpiechem do windy. Piwnica Moogleya znajdowała się na końcu długiego i ciemnego korytarza. Tam na dole, za koślawymi drzwiami, które Will otworzył kluczem ze swojego gigantycznego pęku, ukryta była maszyna produkująca ektoplazmę: Zaświatopij, kompletne oprzyrządowanie, wyglądające jak skrzyżowanie pralki i lokomotywy, które nigdy, nawet na moment, nie przestawało parować. Tuż przy murze, bezwstydnie zapleśniałym, ułożone były w stos skrzynki mydła *marsylia* w kostkach, niezbędnego do produkcji sekretnego napoju.

Will zapalił jedyne dostępne światło i zaczął się rozglądać za butlą wystarczająco dużą, by zaspokoić pragnienie Gardłopodżynacza Flinta. Znalazł plastikową miskę do prania bielizny, odwrócił dnem do góry, by sprawdzić, czy nie ma dziur, postawił ją pod rurą, którą wypływała ektoplazma i uruchomił urządzenie. Po kilku sekundach w piwnicy zaczęła tworzyć się płynna i dymiąca biaława substancja, zdolna przywrócić spokój każdemu duchowi przybyłemu z zaświatów.

– Proszę, to dla pana, kapitanie! – zameldował Will, jak tylko wrócił do salonu z dymiącą miską.

– No, wreszcie! – zagderał Gardłopodżynacz Flint, przeskakując w dwóch susach dywan.

– Właśnie, *nareszcie...* – jak echo powtórzył z łazienki Tupper, pojedynkujący się teraz z małpimi szkieletami szczotką klozetową.

– MOCNE! – zawył Gardłopodżynacz Flint. – NAPRAWDĘ MOCNE!

Przytrzymywał miskę dwoma dłońmi i sączył do gardła zawrotną ilość ektoplazmy. Potem, zaledwie opróżnił miskę, rzucił nią o podłogę w róg salonu i podparłszy brodę – zawołał:

– Daj mi jeszcze! Ach! Ach! Ach! Ach! Ach! Ach!

„Wyśmienita ektoplazma Moogleya zaczyna działać kolejny raz!" pomyślał zadowolony Will. Jak tylko upewnił się, że Tupper jakoś sobie radzi, zbliżył się do okrutnego pirata.

– I dostanie jej pan znowu, ile tylko zapragnie, panie Flint... jeśli pan zechce zrobić to, o co pana proszę...

– Szybko! Albo cię posiekam na tysiąc kawałków!

Will przełknął ślinę.

– Fascynujący pomysł, panie Gardłopodżynaczu, ale obawiam się, że nie o to panu chodzi. Ja nie mogę przygotować panu więcej grogu, jeśli wcześniej nie zajdzie pan do pewnego domu...

Tupper wystraszony przysunął się do Willa.

– Ty mi rozkazujesz?!!!

– Nie, nie. Wcale nie – pospieszył z zapewnieniem Will. – To tylko... dobra hmmm... rada.

Tupper potwierdził, stojąc wciąż za jego plecami.

– Tylko dobra rada.

– Dobra rada, co?! – zaryczał pirat. – To popatrz sobie, co ja zrobię z twoją radą!

Fotele w salonie natychmiast podniosły się do lotu, w tym samym czasie zasłony zaczęły nadymać się, jakby szarpane sztormem.

– Teraz jaaa… – grzmiał Postrach Mórz Sargassowych głębokim, tubalnym głosem.

Will zaskomlał, coraz bardziej przekonany, że pomysł wywołania pirata Flinta to wielkie nieporozumienie.

– Teraz jaaa… – pirat powtórzył raz jeszcze, z wyrazem twarzy tak dzikim, że z pewnością nie wróżył nic dobrego.

W ciągu kilku sekund dom Moogleya opanował totalny chaos i wciąż narastał, narastał… już nie pozostało nic w pokoju Willa, co nie fruwałoby w powietrzu. Nawet Janua zaczęła wibrować, jakby przeszło przez nią stado bawołów.

– Mam wrażenie, że najgorsze jeszcze przed nami! – dukał Will, przerażony do granic możliwości.

– Jeszcze gorzej?! – wystraszony Tupper wdrapywał się na futrynę drzwi.

– Teraz jaaa…

Will i Tupper zamknęli oczy przygotowani na najgorsze…

I wtedy Jauna zawirowała jak szalona, a zanim otworzyli oczy, usłyszeli…

POSTRACH POSTRACHU
MÓRZ SARGASSOWYCH

– TERAZ IDZIESZ PROSTO DO DOMU, TY DO
NICZEGO NIEZDATNA RYBO UGOTOWANA! –
huczał głos, w porównaniu do którego ten należący
do Gardłopodżynacza brzmiał jak głos jakiegoś
uczniaka.

Nagle wszystkie przedmioty, dotychczas fruwające
chaotycznie w powietrzu, pospadały na podłogę, robiąc
gigantyczne BADABUM!

Will i Tupper otworzyli oczy i z nadzieją zwrócili się
w kierunku tego głosu, który dla nich brzmiał jak muzyka. Naprzeciw nich stała kolosalna kobieta, która za życia musiała ważyć ze dwieście kilo. Miała na sobie imponującej wielkości kwiecistą suknię i na głowie coś jakby
turban ozdobiony tropikalnymi owocami.

– Małgośka, cukiereczku mój… – zaświergotał Gardłopodżynacz, gdy tymczasem małpie szkielety zgromadziły się pod stołem, niczym ukarane dzieci.

„Jego żona, Flint Małgośka, zwana Wielorybicą" myślał z ulgą Will, przypominając sobie przeczytane informacje na jej temat w Czarnej Księdze wuja Alvina, na usuniętych stronach o Postrachu Mórz Sargassowych.

– Cukiereczku mój?! – krzyczało kobiecisko. – Nie można zostawić cię na sekundę, żebyś nie poszedł sobie pohulać!

– Ależ nie, skarbeczku… – zaszczebiotał Gardłopodżynacz, teraz bardziej podobny do grubego niedźwiadka niż awanturującego się niebezpiecznego pirata.

– Ja, widzisz… hmmm… przyszedłem z wizytą do tych dwóch młodych przyjaciół – próbował wytłumaczyć się, wskazując Willa i Tuppera.

Dwaj chłopcy uśmiechnęli się niezbyt przekonująco:
– Dobry wieczór pani!

Surowe spojrzenie Wielorybicy zmroziło Willa i Tuppera.

– No pewnie! – ryknęła Małgośka. – Dwóch głupków pierwszej kategorii, dokładnie takich jak ty!

– Widzisz, cukiereczku, tych dwóch młodzieńców uwielbia słuchać moich starych morskich opowieści…

– Och! – wybuchnęła Wielorybica, zwracając się

w stronę Willa i Tuppera. – Jak możecie tego słuchać?! To tylko jeden wielki stek bredni!

Pani Flint dwoma skokami zbliżyła się do męża i pociągnęła go za ucho.

– Teraz ja im opowiem pewną piękną historię – zaczęła tajemniczo Wielorybica. – Opowiada o starym niechlujnym piracie, który zawsze swój statek widmo zostawia w obrzydliwym nieładzie i który na koniec zostaje zmuszony do uporządkowania całej swojej kabiny... kopniakami w tyłek! I wiesz, kim jest ten pirat, mój drogi?

– J – aaa? – wyszeptał Gardłopodżynacz, spoglądając czule na swoją żonę.

– Dobrze! – zagrzmiała Małgośka. – Wygrałeś pierwszy poczęstunek! – ryknęła, wymierzając potężnego kopniaka w siedzenie męża.

Will i Tupper spojrzeli na siebie w milczącym męskim porozumieniu, odczuwając coś w rodzaju współczucia dla tego, który jeszcze chwilę temu był okrutnym Flintem.

– Biedaczysko... – powiedział szeptem Will.

– Coś ty powiedział?! E! – do ciebie mówię, ty kupko kości! – wrzasnęła na niego pani Flint.

– Mówiłem: „Jak pięknie!" – skłamał natychmiast Willard Moogley. – Miałem na myśli, że pięknie jest mieć u boku kobietę tak energiczną i pełną dobrego smaku!

Gigantyczny rozkoszny śmiech wstrząsnął żoną ducha pirata i wypełnił hukiem całe mieszkanie Willa. Nagle kobieta przestała się śmiać i ryknęła prosto w ucho męża:

– Słyszałeś Gardłopodżynaczu?! Jak widać, każdy ma więcej rozumu w głowie niż ty!

Na te słowa duch pirata skurczył się w sobie smutny i zmartwiony.

– A teraz… do domu! – zawyrokowała ostatecznie i zdecydowanie Małgośka Flint. I ciągnąc męża za ucho, poprowadziła go prosto do zegara. Mijając Willa, Postrach Mórz Sargassowych posłał mu ostre niczym sztylet spojrzenie, które chłopiec beztrosko odwzajemnił pożegnalnym machnięciem ręki.

– Bye bye, Flint!

– I miłej pracy – dodał niewinnie Tupper, otrzymując od niego w zamian spojrzenie przesycone nienawiścią.

– Tego możesz być pewien, na pewno posprząta wszyściutko! – takie były ostatnie słowa Wielorybicy, zanim piracka para zniknęła we wnętrzu Januy, prowadząc za sobą uległy orszak małpich szkieletów.

Dwaj przyjaciele w ciszy patrzyli sobie w oczy, jak sparaliżowani stojąc wciąż naprzeciw starego hebanowego zegara, nie mogąc przestać myśleć o Flintach. Wielorybica Małgośka uratowała ich od swojego krwiożerczego męża, ale tym samym zniknęła śmiercionośna broń przeciw Cliffordom, na którą tak bardzo liczył Will.

Podczas gdy te myśli kotłowały mu się w głowie, chudy chłopiec rozglądał się po zrujnowanym salonie. Gry-

mas zdegustowania i zniechęcenia pojawił się na twarzy bladego chłopca.

– Hmmm… – wydusił jedynie. – Bez sensu jest próbować to wszystko uporządkować… Może będzie lepiej, jak pójdziemy teraz do szkoły… później zajmiemy się tym katastrofalnym bałaganem.

Sprawdził godzinę. Było już zbyt późno, by pokazać się na lekcjach. Susan zaniosła bez niego skamielinę profesorowi Brickmanowi.

Tupper też rozglądał się po salonie, który wyglądał, jakby dopiero co przeszła przez niego jakaś tropikalna burza i potwierdził, kiwając się całym ciałem.

– Przynajmniej tydzień potrzeba, by uporządkować to wszystko.

Obaj siedzieli w ciszy, rozmyślając nad tym, co teraz robić.

– Mleko i *Choco Smash*? – zaproponował w końcu Tupper z nadzieją.

Will pozostał jeszcze chwilę w ciszy zamyślony.

Po czym wydał oczekiwane dyspozycje:

– Mleko i *Choco Smash*, podwójna porcja!

Odświeżeni i wzmocnieni energią płynącą z kremu z potrójną czekoladą, Will i Tupper ochoczo zabrali się do pracy, uwalniając fotele zza kominka, kasetki i bibeloty z różnych innych miejsc salonu, zdejmując dywaniki z żyrandola…

Kilka godzin później Will rozejrzał się zadowolony wokół siebie.

– No! Teraz znów wygląda jak normalny salon – powiedział z ulgą.

– Dla mnie to wcale nie jest normalny salon, ale przynajmniej jest taki, jaki był, zanim nie zaszedł tu Flint! – doprecyzował Tupper.

Pyzaty chłopiec spojrzał na swój plastikowy pomarańczowy zegarek i aż podskoczył: – A niech mnie! Jak już późno, moja mama mi…

Nie dokończył zdania i wyskoczył jak z procy do drzwi. Will spoglądał za nim aż do wyjścia i widział, jak znika w dole klatki schodowej. Tupper też nie był przyzwyczajony, że winda działa.

– Dziękuję, Tupper! Do jutra! – krzyknął za nim Will z progu.

Kiedy opuściło go ziewnięcie warte rekordu świata, chłopiec wszedł do domu i podczas gdy wieczorne cienie zaczęły już się kłaść coraz dalej, poczłapał do kuchni. Dał jeść papudze Zamilcz i w końcu zamknął się w łazience.

„Już czas na jedną z moich wybornych trzystustopniowych kąpieli!" pomyślał, delektując się zawczasu momentem relaksu po tym zdecydowanie zbyt intensywnym dniu.

Odkręcił maksymalnie kurek i rozkoszował się szumem płynącej gorącej wody. Dość szybko cieplutka fala zaczęła wlewać się do ogromnej wanny ustawionej na czterech lwich łapach i łazienka w domu Moogleya wypełniła się warstwą gęstej mgły. Dopiero kiedy powietrze zrobiło się absolutnie zbyt ciężkie, by nim oddychać, Will zaczął powolutku zakręcać strumień. Sprawdził ręką temperaturę wody i cofnął ją szybko, mocno zaczerwienioną.

– Idealna – powiedział do siebie zadowolony.

Zdjął spodnie i rzucił je za siebie, zaraz potem tak samo potraktował sweter. Włożył stopę do wody, usiadł na brzegu wanny, próbując zachować równowagę i liczył do dziesięciu, usiłując utrzymać ją w wodzie.

Potem uniósł brwi do góry. Coś usłyszał. Jakiś rumor pochodzący z głębi mieszkania. Potem jakiś dziwny świst. Wyjął stopę z wody i włożył kapcie w kształcie czaszki. Odsunął się na parę kroków od szumiącej wody i nasłuchiwał.

Znowu, rumor i świst.

„To jeszcze raz Janua" pomyślał zmartwiony. „Znowu kłopoty!".

Czyżby to był Gardłopodżynacz Flint, któremu udało się uciec ze szponów żony i wrócił, by odebrać dług?

Will sprawdził wytrawnym okiem poziom wody w wannie, założył na siebie szlafrok i poczłapał nerwowo do salonu. Stary zegar pogrążony był w absolutnie błogiej ciszy. Ale drzwi do kuchni były szeroko otwarte. Will małymi krokami przybliżał się z wahaniem do kuchni, podczas gdy serce podchodziło mu do gardła.

Zebrał całą swoją odwagę, wziął głęboki oddech i wszedł do środka. Firanka poruszała się, okno było otwarte... To tylko okiennica, która uderzała o ścianę, otwarta przez wiatr zaczynający hulać nad Manhattanem!

Will z ulgą odetchnął i poklepał się radośnie w czoło.

„Will, Will..." – mówił do siebie. „Myślisz zawsze i tylko o duchach. Zawsze i tylko o duchach..."

To była taka szczególna chwila olśnienia, jak palec boży na pustyni.

„No jasne! To jest mój problem: myślę zawsze, że duchy są antidotum na każdy problem" zastanawiał się. „A to wcale nie tak! Patrz na Cliffordów... Dla nich duchy nic nie znaczą! No więc... więc problemy trzeba rozwiązywać w inny sposób, to oczywiste!".

Niespodziewane zapalenie się lampki oświecenia we własnej głowie spowodowało u Willa entuzjazm.

– No, przeciez jestem jednym z Moogleyów! – zachwycał się sobą głośno, wracając do salonu. – I my Moogleyowie zawsze znajdujemy sposób na każdy problem. My Moogleyowie…

„My Moogleyowie, o…! do licha!" nagle pomyślał Will.

Na podłodze w salonie już była woda.

– Wanna! – wrzasnął. I w umoczonych już w wodzie kapciach rzucił się biegiem do łazienki.

STOWARZYSZENIE BEZBRONNYCH STARUSZEK

– Ty mnie słuchasz? – pytał Will swojego przyjaciela w okularach, podczas gdy metro ruszyło ponownie z kolejnej stacji.

– Tak, tak… powiedziałeś, że nie zawsze duchy są odpowiednim rozwiązaniem – odparł niezupełnie przekonany Tupper.

– Dokładnie! No więc? – naciskał Will.

– Więc powiedziałeś, że mam się ubrać tak, jak podobam się mojej mamie – kontynuował chłopiec, wskazując na swój garnitur w kratkę i muszkę na gumce.

– Właśnie! I jak widzisz, ja także wystroiłem się jak jakiś elegancik, bo odpowiedni wizerunek jest najważniejszy.

– Ale do czego odpowiedni, Will?

– Po to, żeby Cliffordowie nas wysłuchali, naturalnie!

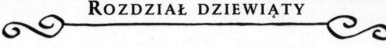

Powtarzam ci: zaprezentujemy im się jako przedstawiciele Stowarzyszenia Ochrony Starszych Ludzi, więc musimy wyglądać tak, jak należy.

– OK, – Tupper kontynuował, chcąc się upewnić, czy dobrze zrozumiał: – zatem Cliffordowie zobaczą nas należycie ubranych i potraktują nas poważnie, złapią się na tę historyjkę o Stowarzyszeniu... i co zrobimy potem.

– W tym momencie przekonamy Cliffordów, że Stowarzyszenie Ochrony Starszych Ludzi trzyma ich w szachu za oszustwo z domem biednej pani Mollyflower. Przekonamy ich, że lepiej dla nich będzie, jeśli nie chcą mieć naprawdę poważnych kłopotów, zwrócić niezwłocznie dom – wyjaśnił Will zdecydowany.

– Hmmm... – westchnął Tupper. – Przekonać ich... niby jak?

– Ech, Tupper, Tupper, jakbyś nie wiedział, że ja cały wczorajszy wieczór zastanawiałem się nad tym... – uspokajał go Will. – Cała tajemnica polega na wyrażaniu się w sposób, który brzmi, jak to powiedzieć, groźnie!

– To znaczy?

– To znaczy, że trzeba mówić takie rzeczy, jak: „Jeśli nie zastosujecie się do naszych żądań, będziemy zmuszeni wystąpić przeciw wam na drogę sądową". I tym podobne tematy, rozumiesz?

– Wow, Will, mówisz jak z książki – skomentował ze szczerym podziwem Tupper.

– Taki jest świat dorosłych, Tupper – podsumował przyjaciel, przyjmując mądrą minę. – Jeden drugiego kantuje słowami…

– Wierzę, jeśli ty to mówisz.

Rozmawiając, chłopcy dojechali do swojego przystanku.

Wyskoczyli z metra, uporządkowali pospiesznie swoje niecodzienne ubrania i skierowali się do wyjścia.

Nieśmiałe słońce i lekki powiew wiatru przywitał dwóch przyjaciół po wyjściu z przejścia podziemnego. Idąc zdecydowanym krokiem, dotarli pod dom Cliffordów w niecałe dziesięć minut. Już z odległości kilku metrów mogli usłyszeć głośno włączone telewizory i wrzaski małych Cliffordów.

Will i Tupper wymienili się nerwowymi spojrzeniami.

– Na początku mamy wyglądać na spokojnych i serdecznych, OK? – wyjaśnił Will.

– Spokojni i serdeczni – potwierdził Tupper.

Kiedy podeszli nareszcie pod drzwi domu Cliffordów, nacisnęli na dzwonek.

– Jak się masz, mały? – powiedział Will, kiedy na pro-

gu stanął syn Cliffordów, zaopatrzony w widoczny na
zębach aparat ortodontyczny.

– Nazywam się Moogley, jestem ze Stowarzyszenia
Ochrony Starszych Ludzi i chciałbym rozmaw… aaaach!
Podlec!

Mały Clifford, nie namyślając się długo, wymierzył
mu kopniaka w goleń. Tupper w porę zdążył powstrzymać Willa przed odwetem. Will i tak nie mógłby nic
zrobić, bo chłopaczysko z zadrutowaną buzią, zamknęło
drzwi, chroniąc się w domu.

Zadzwonili po raz drugi.

– Co tam się dzieje? – Tym razem to pani Clifford
otworzyła drzwi. – Mogę wiedzieć, czego chcecie?

– Dzień dobry pani! Nazywam się Moogley i, jak już
powiedziałem pani uroczemu synkowi, jestem ze Stowarzyszenia Ochrony Starszych Ludzi…

– Niczego nie kupię, idźcie sobie! – I tuż przed nosem
zamknęła im drzwi.

Will wyszczerzył zęby i prawie zaczął warczeć.

Tupper poprawił okulary na nosie.

– Spokojni i serdeczni, Will! Teraz ja tym się zajmę.
Spokojnie. Ty tylko stój spokojnie.

Trzeci dzwonek do drzwi.

– Dosyć już! – wykrzyknęła neurotyczna dekoratorka

wnętrz, prezentując się w drzwiach z lampą pod pachą.
– Dzwonię na policję.

Tupper wcisnął stopę między drzwi a futrynę i powiedział:

– Nie sądzę, żeby się pani opłaciło wzywać policję, proszę pani, ponieważ my jesteśmy ze Stowarzyszenia... Bezbronnych Staruszek, i jeśli nie zrobicie tego, co wam każemy, będziemy zmuszeni... rozpocząć... akcję... prawniczą i... i wtedy zaczną się aresztowania bolesne dla wszystkich.

Niestety, oświecony dyskurs Tuppera nie przyniósł spodziewanego przez niego rezultatu. Chłopiec w okularach wydał okrzyk Tarzana i zaczął podskakiwać na nodze, w której uwięziona była kolorowa strzała. Za plecami pani Clifford mała dziewczynka dumnie ściskała w rękach śmiercionośny łuk.

Drzwi zamknęły się ostatni raz. Will przyglądał się, jak Tupper wyjmuje sobie strzałę z nogi, widząc w oknie, z nosami przy szybie, dzieci Cliffordów strojące do nich miny, a potem spojrzał na wciąż jasne niebo nad Nowym Jorkiem.

– Tego już naprawdę za wiele!

Willard Moogley natarł na drzwi i, waląc mocno obiema dłońmi, krzyczał: – Ech, wy tam! Lepiej posłuchajcie tego, co mamy wam do powiedzenia, jeśli nie chcecie mieć naprawdę poważnych kłopotów!

– Zgoda, ale najpierw posłuchasz tego, co ja chcę ci powiedzieć, OK? – powiedziała pani Clifford przyklejona do okna na najwyższym piętrze.

– OK! – powiedział Will, zakładając ręce na piersi z miną zwycięzcy. – Proszę, niech pani mówi, jestem naprawdę ciekawy, co ma pani do…

Will nie skończył tego zdania.

Chluuuuuup!!!

Wiadro wody spadło na niego z wysokości.

– Właśnie to chciałam ci powiedzieć! Zrozumieliśmy się? – zarechotała pani Clifford, przyklejona do okna z wiadrem pod pachą.

– Jasne jak woda… – odpowiedział Tupper.

– Jeszcze ty dokładasz swoje? – zawarczał Will, piorunując przyjaciela wzrokiem. – Chodźmy już stąd.

Pociąg kołysał się na szynach, wioząc z powrotem na Manhattan dwóch pokonanych przyjaciół. Will, przemoczony i z posępnym wyrazem twarzy, przyciągał uwagę zaciekawionych pasażerów przeszywających ich ostrymi jak sztylet spojrzeniami.

– I co my teraz zrobimy, kiedy nawet plan B spalił na panewce? – dopytywał naiwnie Tupper.

– Jedyną rzecz, którą można zrobić w takim jak ten przypadku.

– To znaczy?

– Poddać się.

– Przepraszam, w jakim sensie?

– W jednym jedynym możliwym sensie, Tupper: odpuścić, rzucić rękawice, oddać mecz!

– Nieee... ja nie wierzę. Willard Moogley, którego znam, tak by nie powiedział.

– Willard Moogley, którego znasz, jest przemoczony i ma już dosyć!

– I?! Dostaniesz paroma kroplami wody i zaraz pozwalasz na wygraną tym Cliffordom? – wzburzył się Tupper, masując sobie obolałą od strzały stopę, która teraz zaczęła puchnąć.

– Przede wszystkim, to nie było kilka kropli... i próbowaliśmy już naprawdę wszystkiego: duchy, strategie... i zobacz, jak to się skończyło!

– Nie mogę uwierzyć, że mówisz serio.

– W życiu nie byłem bardziej serio, Tupper. Jeszcze dzisiaj wezwę Pluma i powiem mu, że rezygnuję ze zlecenia. Dam mu numer jakiejś innej agencji duchów – powiedział Will stanowczo.

– Ty jesteś szefem – zareplikował przyjaciel, zakładając ręce. – Jednakże ja ci mówię, że robisz poważny błąd!

– Ach, tak! I może masz jakiś pomysł?

– Pewnie, że mam!

– Zamieniam się w słuch...

– Ten przypadek Cliffordów, to faktycznie poważna sprawa i potrzebujemy kogoś, kto ma naprawdę wielkie doświadczenie. Zatem... zrozumiałeś?

– Tak, chcesz nająć jakiegoś mordercę.

– Jakiego mordercę! Rozum ci odjęło, Will?! Naszym człowiekiem jest... twój wuj Alvin!

10

A TERAZ COŚ KOMPLETNIE ODMIENNEGO

Will i Tupper, z rękami założonymi na karku, chodzili nerwowo po salonie w domu Moogleya. Natomiast duch wuja Alvina unosił się nad środkiem dywanu, pociągając się za wąsy. Wyglądał równocześnie na znudzonego i rozzłoszczonego i nawet nie próbował tego ukryć. Gdyby miał na ręku zegarek, z pewnością zerkałby na niego bez przerwy.

– Byłem na party w Avocado Club, chłopcy… – podkreślił jeszcze raz. – Przede mną zachodzące słońce a wśród zaproszonych gości Miss Polinezji z 1952 roku.

– Wiemy, wuju! Już mówiłeś to z pięćdziesiąt razy! – protestował Will. – Przepraszam, że ciebie wezwałem, przepraszam, PRZEPRASZAM! Ale mamy poważne kłopoty. I już naprawdę nie wiemy, jak z nich wyjść.

– No cóż, ja bym wyszedł z Januy, jeśli to wam pasuje

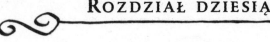

– odparł nieprzejednany wuj Alvin. I kiedy zorientował się, że Tupper zaśmiał się z jego dowcipu, dodał pod nosem: – Nie mają bladego pojęcia: duch Miss Polinezji z 1952 roku to prawdziwa i niepodważalna bomba.

– Wuju!

Wuj Alvin zrezygnowany poddał się i polewitował na fotel.

– OK, OK. Zrozumiałem. Spróbujmy się skoncentrować. Opowiadaj całą historię!

Will założył ręce i podniósł oczy do nieba.

– Kiedy już trzy razy ci wszystko opowiedziałem!

Wuj Alvin pokiwał głową. – Myślałem o czymś innym.

– Dobrze! – westchnął Will, spoglądając na Tuppera groźnym wzrokiem. – A ty przestań się śmiać! Wiesz co? Przestań robić cokolwiek! Nie chcę słyszeć ani jednego słowa!

Wuj Alvin wyraźnie skoncentrowany, kręcił się po salonie, podczas gdy Will opowiadał mu kolejny raz historię pana Pluma i tych nieznośnych Cliffordów. Duch przerywał chłopcu tylko, kiedy to było konieczne.

Na przykład kiedy musiał zapytać: – Kasetka z podwójnym dnem, powiadasz?

Albo kiedy się litował: – Biedny Kobziarz. Gdyby tylko zdołał zostawić te swoje wyjące dudy, mógłby mnie odwiedzić i poleniuchowalibyśmy razem na hawajskiej plaży!

I jeszcze wtedy, kiedy wykrzyknął: – A, pewnie! Umieściłem Postrach Mórz Sargassowych w mojej Czarnej Księdze, bo już kiedyś pozostawił niedokończone zadanie, gdy niespodziewanie pojawiła się jego żona.

Potem, kiedy Will już skończył, w mieszkaniu zapanowała dziwna cisza przerywana tylko mlaskaniem Zamilcz w kuchni, gdzie papuga zajęta była wyłuskiwaniem kukurydzy z kolby.

– No i? – powiedział w końcu Will, kiedy cisza stała się nie do wytrzymania.

– No i co? – nie bardzo rozumiał jego wuj.

– Kazałeś mi jeszcze raz opowiadać wszystko od początku i ja to zrobiłem! Nie masz mi nic do powiedzenia?

Wuj usadowił się wygodnie w tym rogu kanapy, który za życia był jego ulubionym miejscem odpoczynku i skąd cieszył się widokiem rozpościerającym się z okien na Drugą Avenue.

– Mój chłopcze. Kiedy zdecydowałem się tobie powierzyć agencję, zrobiłem to zasadniczo tylko dlatego, że byłem całkowicie przekonany, że zostawiam ją

w dobrych rękach. W ten sposób wybawiłeś mnie z konieczności pozostawienia wszystkiego tej zgryźliwej i marudnej Maud. Byłem szczęśliwy, że znalazłem zdolnego i inteligentnego chłopca, takiego który ma dar widzenia duchów w czasie pracy... – W tym miejscu dodał, wyjaśniając Tupperowi: – Wtedy duchy nie chcą być zobaczone przez ludzi, dlatego stają się jeszcze bardziej niewidzialne niż zazwyczaj.

– Skończ już z tym, wuju! Tupper wie, czym jest zatrudniony duch i jak się zachowuje w czasie zadania.

– No tu się mylisz, wcale nie wiedziałem – zaprotestował chłopiec, poprawiając okulary na nosie.

– Chyba prosiłem, żebyś siedział cicho, co?!

– Jak powiesz to jeszcze raz, zostawię cię samego z Cliffordami, zobaczysz! – odparł rozzłoszczony Tupper.

– Tak więc, chłopcy... – zaczął mówić wuj Alvin.

Zamilkł szybko, ponieważ Will i Tupper nie zamierzali przestać.

W tym momencie chłopiec z pryszczatą buzią porwał ze stołu jakiś wiekowo wyglądający przedmiot leżący na środku stołu.

– Oddaj mi natychmiast mój kamień! – protestował Will.

– Nie mam zamiaru! Prawda jest taka, że masz w głowie tylko te starocie i nie przejmujesz się wcale tym, czym się mamy zajmować!

– Tupper, odłóż z powrotem skamielinę na stół! Susan dopiero co mi ją przyniosła!

– O! Susan! Czarująca Susan! Susan to i Susan tamto! Ja ci powiem, jaki jest twój problem, Will. Chcesz uwolnić się od problemu z Cliffordami tylko po to, byś mógł skoncentrować się na twojej oszałamiającej sąsiadce!

– I co z tego?

– To, że teraz już nic nie będzie cię rozpraszało! – stwierdził Tupper i podszedł do okna. Otworzył je na oścież i wyrzucił cenne znalezisko.

Will przerażony podbiegł do okna. – Nie mogę w to uwierzyć! Naprawdę to zrobiłeś…

Tupper założył ręce na piersi i odparł: – Pewnie, że zrobiłem. Myślisz, że co?

– Ale… – Will stał osłupiały. – To było moje zadanie!

– Przestań już! To tylko jakieś strusie jajo…

Dwaj chłopcy zaczęli się znowu okładać, póki wuj Alvin rozkazującym gestem ręki nie włączył w drugim końcu salonu Gongu Grzmocącego.

– Stooop! – krzyknął. – Dosyć już. Usiądźcie przy mnie spokojnie i spróbujmy wypracować jakiś plan! Już!

Przyjaciele przestali walczyć ze sobą, przystając, chcąc nie chcąc, na żądanie wuja Alvina.

– No wiecie co! Kto to widział! – dodał rozdrażniony duch. – Nie dość, że wywołujecie mnie bez żadnego uprzedzenia w samym środku doskonałej zabawy, bym wam pomógł wydobyć się z bałaganu, który sami narobiliście…

– Który narobił pana wnuk, chciał pan powiedzieć – przerwał mu Tupper. – Nawet mnie przy tym nie było, kiedy on rozmawiał z panem Plumem. I wcale nie możemy być pewni, co dokładnie sobie powiedzieli!

– Powiedziałem mu, że byłem konający w łóżku, dzięki twojemu pomysłowi na Smażenie Końcowe Dziadka Hanka! – odparł Will.

Wuj Alvin westchnął. Wydawało się, że nie ma sposobu, by ich obu skłonić do milczenia.

– Zatem, jak sobie chcecie – zdecydował, lewitując w kierunku Januy. Ja muszę wracać!

– Nie, wuju Alvinie! – zawołał wystraszony Will. – Ty nie możesz odejść…

– O! Rzeczywiście? – zapytał stary właściciel Agencji Duchów. – A to z jakiego powodu?

– Bo mi obiecałeś pomagać!

– Tak, ale wtedy kiedy ci to obiecałem, byłem jeszcze żywy… – odparł duch, wchodząc jedną nogą do zegara.

– I, jak dobrze o tym wiesz, obietnice są ważne tylko za życia.

– OK, dobrze! Jeśli nam pomożesz, to obiecuję, że ja i Tupper nie będziemy już się kłócić!

Wuj Alvin zatrzymał się, ale jedną połową był już w Juanie. – A ty Tupper?

– OK, przepraszam. Ja też obiecuję.

– Bardzo ładnie – powiedział usatysfakcjonowany wuj Alvin. I szeroko uśmiechnięty zaczął lewitować po salonie. – Zatem użyjemy mojego starego fortelu, doskonałego w sytuacjach takich jak ta: idziemy poszperać w książkach.

Kwadrans później cała trójka była w bibliotece rodzinnej Moogleyów. Tuper wspięty na wysokiej drabinie wyszukiwał raz tę, raz tamtą księgę, zgodnie z dyspozycjami wuja Alvina. Will natomiast siedział na podłodze z nogami skrzyżowanymi jak Indianin pomiędzy kilkoma niestabilnymi wieżami z książek, rozsianymi jak cętki leoparda po całym dywanie, przykrywającym praktycznie każdy centymetr kwadratowy pomieszczenia.

Tupper chwycił książkę.

– Hmmm…Nie. Nie tę, synku. Tę trochę większą, pokierował go wuj, podczas gdy Tupper na próżno wychylał się, by chwycić drugą księgę oprawioną w ciemny len.

Kiedy już wydobył książkę z regału, zszedł po szczebelkach drabiny w dół i podał Willowi, który otworzył ją i przeczytał:

CZARNE OWCE
RODZINY MOOGLEYÓW

Historie, plotki i legendy na temat krewnych nieznanych, którzy popadli w niełaskę, niepewnego pochodzenia, wydziedziczonych z różnych powodów, krętaczy lub zaginionych bez wieści.

Zebrane przez Alvina Thelesiusa Moogleya dzięki uzyskanym informacjom i naocznym świadkom w dwuznacznych okolicznościach i nigdy potem nie weryfikowane, Nowy Jork, 1943.

– No, no – powiedział chłopiec, po przeczytaniu strony tytułowej. – Nieźle nam idzie…

– Nie dziw się temu, Will – zauważył rozanielony wuj Alvin. – Każda, mająca ponad czterystuletnią historię rodzina, ma swoje czarne owce. Ale na szczęście, w naszej rodzinie jest ktoś, kto postarał się zachować je w pamięci.

– Nie wiedziałem, że pan ma też na imię Thelesius, panie Moogley – zauważył zdziwiony Tupper.

– Wszyscy, którzy prowadzą Agencję Duchów muszą, wcześniej czy później przyjąć drugie imię, wywodzące się z łaciny. Dla fasonu. Ty też, Will, powinieneś zacząć się nad tym zastanawiać... – odpowiedział wuj Alvin. – W każdym razie, dosyć tej paplaniny. Ruszaj się Will, żwawo! Przeglądaj księgi, myślisz, że Miss Polinezji będzie całą wieczność na mnie czekała? No, już!

– Czego szukamy? – chciał wiedzieć blady chłopiec, czytając bez zainteresowania opowieści o życiu nie całkiem szlachetnych członków swojej rodziny.

– Nie mam pewności, ale... mam jakby wrażenie, że z tymi Cliffordami konieczne jest opracowanie planu całkowicie odmiennego niż zazwyczaj. Nazywają to *lateral thinking*. Myślenie niezwykłe, niekonwencjonalne.

– Tupper jest w tym dobry.

– Nie zaczynaj, Will.

– Zastanówmy się razem – interweniował duch, jeszcze zanim rozpoczęli na nowo się kłócić. – Wasz klient chce odzyskać swój dom.

– Dokładnie.

– I w jego domu, przed Cliffordami mieszkała pewna urocza staruszka.

– Tego nie wiemy, czy była urocza – doprecyzował Tupper. – Z pewnością jednak jemu pasowała.

– Tak… – zastanawiał się wuj Alvin. – No więc… co o niej wiemy?

Dwaj chłopcy popatrzyli na siebie.

– Pan Plum mówił, że to staruszka spokojna i że nie sprawiała mu żadnych kłopotów.

– A dlaczego ta pani Mollyflower sprzedała dom? – pytał dalej wuj Alvin.

Will wyjaśnił:

– Według Harolda Pluma, została oszukana przez pana Clifforda, który kupił od niej dom za parę groszy, a ją wyekspediował do byłej salki bokserskiej na Bronxie.

– To ci dopiero interes – skomentował Tupper.

– Tak więc możemy spokojnie powiedzieć, że ten pan Clifford to człowiek bez żadnych skrupułów, wyzyskujący bezbronnych?

– I to jak!

– Trzeba być faktycznie bezwzględnym draniem, by zmusić staruszkę do zamieszkania w opuszczonej byłej sali bokserskiej na Bronxie i w zamian wziąć jej ładny, spokojny dom na Brooklynie w dobrej dzielnicy.

– Jak ja ich nie cierpię! – z niesmakiem powiedział

Tupper. – Gdyby tylko istniał jakiś sposób, by odpłacić im pięknym za nadobne!

– Tak, ale jaki? – westchnął Will.

– Można im na przykład sprzedać dom widmo – odpowiedział wuj Alvin. Palcem wskazał Księgę Czarnych Owiec. – Ruszaj się, przeglądaj ją wnuku! Pospiesz się, bo noc nas zastanie! – Po jakimś czasie wuj podekscytowany krzyknął: – Mamy!

– Książę Giangerolamo Pataka Moogley – przeczytał Will. – Nie wiedziałem, że mamy szlachcica wśród krewnych…

– Bo nigdy go nie mieliśmy – wyjaśnił wuj Alvin. – To on utrzymywał, że nim jest. W Starej Europie Giangerolamo Pataka za parę groszy kupił sobie stary, zrujnowany zamek opanowany przez dziki, pięknie go sobie uporządkował i odrestaurował i potem wszystkim wkoło zaczął opowiadać tę swoją szlachecką historię.

Will przeleciał błyskawicznie wzrokiem po notatkach wuja Alvina, gdy tymczasem Tupper całą swoją uwagę skupił na biało-czarnej ilustracji przedstawiającej zburzone wieżyczki w środku stepu.

– Przewróć stronę – poradził zaraz Willowi.

Na następnej stronie przedstawiona była komnata urządzona z przepychem, ze złoconymi lustrami, statuami, z pięknymi, zdobionymi misami, rzeźbami i stołami na ozdobnych nogach.

– Proszę! Oto przed wami przesławny salon księcia Pataki...

– Całkiem niezły! – przyznali chłopcy jednogłośnie. Mieli wrażenie, że patrzą na jeden z tych filmów kostiumowych, których akcja toczy się na dworze Króla Słońce.

– Rzeczą nadzwyczaj ciekawą jest, – wyjaśnił wuj Alvin – że to wszystko co tu widzicie, w rzeczywistości... nie istnieje!

– Nie rozumiem. W jakim sensie nie istnieje? – zapytał Will, odrywając wzrok od księgi.

– Jak dobrze już wiesz, Will, istnieją nie tylko duchy osób, kiedyś z krwi i kości, *grubych sadeł*, jak ich my nazywamy. Są także duchy potworów i, naturalnie, duchy przedmiotów! Pamiętasz to zdarzenie z autobusem linii numer 7, prawda?

– Pewnie, że pamiętam. Londyn, rok 1936, Kensington. Pojawienie się ducha autobusu spowodowało tak dużo różnych wypadków drogowych, że miasto

musiało radykalnie zmienić połączenia komunika-
cyjne.

– O kurczę! I jak to się skończyło?

– Autobus linii numer 7 nie dosyć, że jechał pod prąd,
to jeszcze na oczach gapiów zniknął.

– Doskonale, doskonale. Doskonała pamięć. Od razu
widać, że jesteś prawdziwym Moogleyem, synku.

Podczas gdy Will rozkoszował się komplementem,
Tupper się zastanawiał, co u licha ma wspólnego autobus linii numer 7 z księciem Pataką Moogleyem.

– Zatem, jak pewnie już się domyślacie – kontynuował wuj Alvin – książę Pataka urządził swoją ruinę meblami, lustrami, dywanami, statuami i tym wszystkim,
co tylko wam przyjdzie do głowy jako wyraz bogactwa,
wystawności i okazałości, ale to… tylko duchy.

– Pałac urządzony duchami?

– Właśnie tak! Na dworach całej Europy jego luksusowy salon wywoływał podziw, komplementy i wielką
zazdrość. Tak było aż do epizodu z hrabianką Du Plombe, który ten mit rozwiał, naturalnie.

– To znaczy?

– Giangerolamo Pataka był zawsze bardzo ostrożny
i nikomu nie pozwalał dotykać swoich wspaniałych

mebli. Kiedy przyjmował gości, pokazywał im zawsze z dumą swój przesławny salon, a potem prowadził ich na pokoje urządzone zdecydowanie bardziej skromnie, ale z prawdziwymi meblami. Jednak pewnego dnia hrabianka Du Plombe, wymknęła się spod jego kontroli: szła po przecudnym dywanie – widmo ze skóry z białego niedźwiedzia – i runęła w dół schodów, których pod nim nie było, złamała nogę i... oszustwo się wydało!

Will i Tupper czekali na zakończenie tej opowieści.

– Tak więc, – wyjaśniał dalej wuj Alvin – pomyślałem, że oszustwo Giangerolamo mogłoby nam się przysłużyć. Może na początek zorganizujemy pięknie urządzony nowy dom, a potem...

– Przekonamy Cliffordów do zrobienia interesu ich życia... – uśmiechnął się Will, który zrozumiał już zamiary wuja Alvina.

– I odzyskamy dla pana Pluma jego willę – podsumował Tupper.

Wuj Alvin uśmiechnął się z zadowoleniem.

– Jeśli się nie mylę, gdzieś tam powinna być doczepiona karteczka...

Will potwierdził: w miejscu, gdzie Alvin Moogley

opisywał więzienne życie księcia Pataki, przypięta była mała notatka:

BARTŁOMIEJ I DZIECI
PRZEPROWADZKI, PRZENOSINY
I SUBSTYTUTY – WIDMA
EKONOMICZNE • SZYBKIE • PEWNE
Przywoływacz duchów: +3975947594405040005

POSIADŁOŚĆ NAPAWDĘ WYJĄTKOWA

Pani Mollyflower była staruszką delikatną i wrażliwą jak pisklaczek. Kiedy próbowali wejść do jej nowego mieszkania, zaczepiła o wstrętną zasuwę, ryzykując poturbowanie przez sunącą po szynach bramę i, niewiele brakowało, a zostałaby przez nią zgnieciona. Szybko pozbierała się po tym zdarzeniu i zmieszana przeprosiła obu chłopców.

– Proszę się nie martwić, pani Mollyflower – uspokoił ją Will, wchodząc na salę gimnastyczną przez uszkodzone drzwi. Tuż za nim szedł Tupper i poprawiał swoje sztuczne wąsy.

Obaj chłopcy trzymali skórzane walizki wyjęte ze strychu w domu Moogleya, które jako rekwizyty były niezbędne do odegrania tej sceny. Przygotowując w pośpiechu spotkanie ze staruszką, żaden z nich nie miał możliwości sprawdzenia, co jest w tych walizkach.

– Jestem tak zakłopotana, że muszę was przyjmować w tym miejscu – powiedziała pani Mollyflower, prowadząc chłopców do okrągłego stolika do herbaty.

Staruszka rozmieściła swoje nieliczne meble w ogromnej przestrzeni pustej sali sportowej, usiłując stworzyć namiastkę atmosfery swojego miłego domu na Brooklynie: w środku bokserskiego ringu urządziła salonik z szafą, fotelem, telewizorem na stoliku i starą lampą stojącą. Tuż poniżej ringu, natomiast, umieściła swoje łóżko z miedzianym zagłówkiem. Po przeciwnej stronie wejścia znalazł swoje miejsce piecyk elektryczny ze starym imbrykiem na wodę i prowincjonalny kredens z serwisem stołowym. Wszystko to razem pośród zrujnowanej podłogi z linoleum w kolorze żółtawym, sprawiało wrażenie dryfujących po oceanie resztek zatopionego statku.

– Jak widzicie… mam tu dużo miejsca … i dużo słońca. Ale, mówiąc szczerze, nie wiem już , co mam dalej robić – głos pani Mollyflower rozbrzmiewał pod zakratowanymi oknami.

Kiedy Will i Tupper usiedli i staruszka podała im po filiżance herbaty o smaku waniliowym, stolik zaczął nagle drżeć, jakby od trzęsienia ziemi. Wibracje zbliżały się szybko, a potem równie szybko się oddaliły.

– Już nic nie mówię o metrze, które biegnie tuż obok.... – uśmiechnęła się gorzko kobiecina.

Z powodu tego nagłego kołysania się podłogi, Tupper wylał sobie na spodnie herbatę, ale jeszcze tego nie poczuł. Zauważył natomiast kilka walizek ustawionych w pobliżu drzwi wyjściowych.

– Wybiera się pani w drogę, pani Mollyflower? – zapytał, stawiając w połowie pustą filiżankę na stoliku. Potem, zdał sobie sprawę z wilgoci, która przenikała jego uda i dodał: – Patrzcie no, niech to licho! Jaki jestem niezdarny!

Staruszka pospiesznie podała mu papierową serwetkę, wyjaśniając równocześnie, że faktycznie na kilka dni chce opuścić miasto, by odwiedzić swoją córkę, której nie widziała od lat.

– Widzicie… w rzeczywistości to nowe mieszkanie wywołuje we mnie taki smutek… – i westchnęła.

Will od razu położył na stoliku swoją walizeczkę, otworzył ją i, ruchem wytrawnego domokrążcy sprzedającego encyklopedie, wyjął z kieszeni ubrania wizytówkę i podał ją starszej pani.

– I właśnie z tego powodu tutaj jesteśmy – wyjaśnił. – Być może, nadarza się okazja, by… jak to powiedzieć… pomóc pani wrócić do poprzedniego pani domu przy ulicy Montague.

– Rzeczywiście? Ojej, spełniłyby się moje marzenia.

– Dokładnie tak – dodał Tupper, i naśladując ruchy przyjaciela, otworzył walizeczkę. Otworzył ją szybkim ruchem i… zamknął ją szybko, robiąc się blady jak ściana. Walizeczka zniknęła dziwnie szybko pod stołem, a Tupper przeistoczył się w coś jakby gipsową statuę.

– Ale jakby to było możliwe? Jeśli się nie mylę, to w moim starym domu mieszka teraz pewna szczęśliwa rodzinka… – powiedziała pani Mollyflower.

– Jeśli o to chodzi, to nie ma się czym przejmować, proszę pani. Wszystko, czego od pani chcemy, to otrzymać upoważnienie i dyspozycje do… urządzenia tej pani nowej… sali ćwiczeń, żeby wymienić ją na pani stary dom.

Staruszka podparła sobie dłońmi policzki.

– To mniej więcej to samo, co kilka miesięcy temu zrobiłam z panem Cliffordem. Znacie go? To bardzo miły człowiek!

– O, tak! Znamy go – odpowiedział Will. – Znamy go doskonale. Prawda, Tupper?

Przyjaciel przytaknął słabo. Wciąż był bladozielony, jakby zobaczył ducha.

– O… tak… – wydusił po chwili.

– To, co pani proponujemy, proszę pani… – Kiedy Will to mówił, nie wiadomo skąd pojawiło się nagle pióro. – Otóż trzeba przenieść wszystko, tak jak było wcześniej. Chce pani usłyszeć prawdę? Pan Clifford nie czuje się zbyt dobrze w tej willi, z dziećmi które biegają wszędzie… Podczas gdy, jak nam się wydaje, ta pani stara rude… chciałem powiedzieć… sala gimnastyczna… byłaby dla nich jak prawdziwa… manna z nieba!

– Tak pan myśli? – zaszczebiotała starsza pani z przebłyskiem nadziei.

W tym momencie usłyszeli z ulicy dwa razy trąbiący klakson. – Na Boga, moja córka już przyjechała!

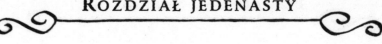

– Mogłaby pani podpisać z nami ten kontrakt, nim pani wyjdzie? – ponaglił ją Will, wstając z krzesła. – Jeśli pani podpisze i pozwoli nam poprzestawiać tu trochę meble... to po powrocie będzie pani miała znowu do dyspozycji swoją starą willę.

Kobieta pobladła, patrzyła na ulicę przez okna sali gimnastycznej.

– Moja córka zawsze mi mówi, żebym nigdy nie podpisywała żadnych dokumentów, zanim dokładnie i z uwagą ich nie przeczytam, bo ona wie, że jestem tylko biedną staruszką, ale...

– Mówimy o pani ukochanym domku, pani Mollyflower... – przymilał się Will, podając jej pióro.

– Tak bardzo chciałabym tam znowu wrócić... No i wy obaj wyglądacie tak serio i miło... – rozejrzała się wokół. – Tak naprawdę nie mam tutaj nic wartościowego, zatem... czemu nie?

Starsza pani zdecydowała się w mgnieniu oka. Wzięła kontrakt do ręki i go podpisała.

– Właśnie tutaj... – wskazał Will staruszce, któremu wszystkie procedury i przepisy wyjaśnił duch księgowego wuja Alvina, poproszony wczoraj o północy o pomoc. – Właśnie tak. Doskonale.

Zwinął kontrakt w rulon i uśmiechnął się usatysfakcjonowany. – Do zobaczenia w przyszłym tygodniu, pani Mollyflower!

Will i Tupper, stojąc w drzwiach sali bokserskiej, pomachali starszej pani na pożegnanie. Poważni, wyprostowani, absolutnie perfekcyjni profesjonaliści. Zaledwie jednak staruszka oddaliła się, machając im ręką z samochodu, Tupper podskoczył i, wyjąc jak dziki, zaczął krzyczeć do przyjaciela – Will, nie mogłem już wytrzymać!

– Czego nie mogłeś wytrzymać? – zapytał Will, zamykając przesuwane drzwi sali bokserskiej.

Tupper wydostał walizeczkę spod krzesła i otworzył ją z obrzydzeniem. – Zobacz, co jest w środku!

Will spojrzał i gwizdnął.

W walizce Tuppera było pięć różnych czaszek, ułożonych od najmniejszej do największej. Tabliczka, zawieszona na sznurku przechodzącym przez oko największej, informowała: *Kompletny zestaw potężnego czarnoksiężnika! Tylko w tym tygodniu 12 dolarów zamiast 38!*

Will zaśmiał się i zamknął walizkę gestem odrazy.

– No, w przyszłości może nam jeszcze się przydać – powiedział. Potem, rozglądając się wkoło, dodał:

– Do roboty! Póki co, przestawmy te meble!

Pół godziny później prawie wszystkie meble staruszki były już wyniesione i jakiś duch z fotelem na plecach wchodził właśnie do sali gimnastycznej.

– Można? – zapytał.

Will uśmiechnięty wyszedł mu naprzeciw.

– Pan Moogley? – zapytał duch z fotelem. – Przepraszam, że nie zapukałem, ale nie mam odpowiedniej struktury, by to zrobić.

– Proszę się nie kłopotać.

– Zatem… – duch od przeprowadzek postawił fotel widmo na podłodze i przeczytał kartkę widmo umieszczoną w notesie widmo. – Jeśli się nie mylę, zamówił pan Salon Super Luksusowy, Galerię Obrazów Starego Księstwa, Zestaw Łazienkowy model Rozpasany Pakiano i… A tak… sypialnia model Światło Orientu. Zgadza się?

Tupper niepewnie podniósł palec w górę.

– Mówiąc prawdę, zamówiłem także Prysznic Elfów.

Will wyjaśnił od razu.

– Zrezygnowałem z tego, Tupper. Wybacz, ale to musi być urządzone z pewnym gustem!

– Ale ten miał dyfuzor w kształcie Oka Saurona! – sprzeciwił się okularnik.

– W takim razie mogę kazać chłopakom wszystko

wnosić? – zapytał tragarz, poirytowany tym, co według niego było zwykłą stratą czasu.

– Naturalnie – odpowiedział Will.

Duch zniknął im z oczu.

Tupper zagłębiał rękę w fotel i zaraz ją wyjmował, nie przestając się dziwić, jak bardzo wydawał się prawdziwy, z krwi i kości, albo lepiej, z drewna, tkaniny i gąbki.

– Wow! Niewiarygodne! Mógłby oszukać nawet mnie!

Podczas gdy Will podśmiewywał się z niego, poprzez mury sali bokserskiej zaczęła przesuwać się nieprzerwanie procesja tragarzy z meblami na plecach.

– Gdzie położyć ten dywan?

– A ten posąg?

– Fontannę tryskającą?

– Lustro Imperatora chce pan postawić wszerz czy wzdłuż?

Will wyciągnął spod swetra rysunek, przedstawiający jak sobie wyobraził i zaplanował urządzenie sali gimnastycznej.

– Do roboty, Tupper!

Trzy godziny później zakończyli porządkowanie setek zamówionych mebli, w tym także fikcyjnych ścian

adamaszkowych, na których wisiały nieistniejące cenne obrazy. Sala gimnastyczna przemieniła się w pięk- niejszą od oryginału reprodukcję apartamentów królo- wej Anglii. Każdy fragment dekoracji drżał leciutko pod wpływem światła lamp, ale ogólnie efekt był zdecy- dowanie przekonujący. I, przede wszystkim, bardzo ele- gancki.

Dla uzupełnienia dzieła, Will wysłał Tuppera, by ku- pił długi czerwony chodnik, który wspólnie rozłożyli we wszystkich pomieszczeniach tak, by można było przejść z jednego pokoju do drugiego bez dotykania mebli. Że- by wszystko poszło jak należy, wystarczyło trzymać się chodnika. I to właśnie Will miał następnego dnia zalecić panu Cliffordowi.

– Idealnie – powiedział Tupper zadowolony ze swojej pracy. Oparł się o ścianę za plecami i runął na podłogę, bo zapomniał, że to ściana widmo.

– Teraz nie pozostaje nam nic innego, jak tylko zadzwo- nić do Cliffordów – Will z zadowoleniem zacierał ręce.

– I co zamierzasz im powiedzieć? – zapytał Tupper, podnosząc się z podłogi.

Will z miną niewiniątka skrzyżował ramiona.

– Powiem, że pani Mollyflower jest zasmucona. Z tego powodu, pomimo luksusu jej nowego mieszkania, chciałaby wrócić do swojego starego domu... i proponuje zamianę. Z pewnością pan Clifford nie oczekiwałby... tego! – powiedział kościsty chłopiec, szeroko otwartymi rękami wskazując cały ten przepych, który urządziły duchy od przeprowadzek. – Tylko wartość mebli i sprzętów około stukrotnie przewyższa wartość willi. Zobaczysz, że Clifford się na to złapie.

– A jak chcesz go przekonać, by tu przyszedł?

– Jeszcze tego nie wiem – przyznał Will. – Ale jeśli przekonałem nauczycielkę matematyki, że nie mogłem przygotować się do sprawdzianu, bo dziki pirat zalał mi dom, to wierzę, że uda mi się przekonać sprzedawcę nieruchomości z żoną dekoratorką wnętrz do rzucenia okiem na ten ... klejnot.

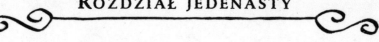

– Hmmm… panie Moogley… – zakaszlał w tym momencie stojący za nimi jeden z tragarzy. – My już skończyliśmy. Gdyby pan mógł nam zapłacić… Mamy jeszcze jedną dostawę towaru na dzisiaj, w Transylwanii.

– A! Pewnie, że tak! – odpowiedział Will. – Pozwólcie nam tylko wrócić do agencji, byśmy mogli otworzyć Januę. Przygotowałem specjalnie kadź pełną ektoplazmy, cała tylko dla was!

Duch uśmiechnął się, wkładając ołówek za ucho.

OSZUSTWEM
ODPŁACONE OSZUSTWO

Wszystko tego dnia działo się tak szybko, że pani Clifford nie miała nawet czasu zaprotestować.

Wiele kolejnych lat po tym tragicznym zdarzeniu, kiedy próbowała odtworzyć następujące po sobie fakty, była przekonana, że wszystko zaczęło się od pewnej rozmowy. Gdzieś tak około ósmej trzydzieści osiem rano (tego mogła być pewna, zważywszy, że w tym momencie oglądała zegarek, który jej syn częściowo rozszarpał aparatem na zęby), jej mąż odebrał telefon. Był jeszcze w pidżamie i zjadł dopiero połowę rogalika. Odpowiedział coś tego typu:

„Jeszcze nie wiem, czy to będzie dobry dzień, pan mi to powie. Nie, nie znam pana, panie Moogley, ale proszę mówić. Pewnie. Bardzo dobrze. Nie. Nie znam nowego miejsca pobytu pani Mollyflower. A! Rzeczywiście? Nie, niech pan nie mówi. Nieee. W to nie uwierzę. Nie uwierzę, nawet jeśli ją zobaczę".

Potem pani Clifford wyszła z pokoju i, kiedy wróciła, jej mąż wciąż rozmawiał.

„Dobrze, będę o jedenastej. Zatem, do zobaczenia".

Pięć minut później, nawet bez ogolenia się, pan Clifford wybiegł z domu, krzycząc, że czuje w powietrzu zapach wielkich pieniędzy.

Tuż po jedenastej trzydzieści pan Clifford dzwonił na komórkę do żony. W tym momencie pani Clifford była zajęta urządzaniem mieszkania pewnego klienta i kiedy odebrała telefon, mąż powiedział tylko:

„Nie uwierzysz".

Potem zakończył rozmowę. Ona dokończyła rozmowę z klientem, a chwilę później pan Clifford zadzwonił ponownie.

„Przygotuj wszystko. Przeprowadzamy się!" powiedział. „Albo wiesz co? Nie. Nic nie przygotowuj. Kupimy wszystko nowe".

I cały w euforii, zaczął się śmiać.

O dwunastej zero sześć (kolejny czas, co do którego pani Clifford była absolutnie pewna) pan Clifford przyszedł po nią do biura. Wychodząc, zorientowała się, że mąż odebrał już ich dwoje dzieci ze szkoły.

„Szybko działa…" zauważyła pani Clifford.

„Co powiedziałaś, kochanie?" zapytał mąż, a ona nie mogła uwierzyć własnym uszom. Pan Clifford nie mówił do niej „kochanie" dokładnie od dwunastu lat, kiedy to ostatni raz byli w kinie.

„Powiesz mi w końcu, co się dzieje?"

Mąż odcisnął jej całusa na czole.

„A to się dzieje, że nadszedł mój szczęśliwy dzień. A nawet nasz szczęśliwy dzień".

„Jesteś pewien?" zapytała, wskazując palcem na dzieci siedzące z tyłu samochodu.

Swoimi ostrymi pazurami rozpruwały pokrowce na siedzeniach.

Pan Clifford odpowiedział, że to on kazał im zniszczyć samochód.

„Za samą ramę obrazu tej Mollyflower kupimy nowe auto" zaśmiał się.

O trzynastej dziewiętnaście(godzina na zegarze w samochodzie) Cliffordowie mknęli szczęśliwi ulicami Nowego Jorku. Kierunek Bronx. Dzieci kontynuowały nieprzerwanie dewastowanie samochodu. Pan

Clifford był uśmiechnięty. Pani Clifford wydarła się wniebogłosy.

„KUPIŁEŚ DOM NA BRONXIE?!"

„Calutki parter" odpowiedział on, szczęśliwy. „Pomyśl tylko: wcześniej była tam sala gimnastyczna. Natomiast teraz…"

„Żądam wyjaśnień".

Wyjaśnienie nastąpiło o trzynastej czterdzieści pięć.

Kolega pana Clifforda przekazał mu niesamowite wieści: pani Mollyflower, ta od której za parę groszy kupili willę przy ulicy Montague, chciała ją odzyskać i proponowała zamianę: willa w zamian za mieszkanie na parterze w okropnym budynku na Bronxie, ale tak dobrze wyposażone, tak bogato urządzone, że wystarczyłoby sprzedać tylko jedną trzecią tego, by kupić piękną posiadłość w centrum Nowego Jorku.

„To dlaczego ona sama tego nie zrobi?" zapytała podejrzliwie pani Clifford.

„Bo ona nic z tego nie rozumie! Nie pamiętasz, jak ją nabrałem z tą willą?"

„To dlaczego tego mieszkania na Bronxie nie wziął sobie kolega?"

„Ten Moogley jest bardzo młody i jeszcze niedoświadczony. Poza tym to nie jest kwestia pieniędzy: stara chce odzyskać swój dom, ten i tylko ten. Tak więc tylko z nami może na ten temat rozmawiać!"

„I ty się zgodziłeś?"

„Sama zobaczysz. Meble tak świecą złotem i tak są misterne, że nawet musnąć ich nie mogłem".

„PYTAM, CZY SIĘ ZGODZIŁEŚ?!"

Po tych wiadomościach pani Clifford była przekonana, że jej mąż dał się oszukać. Mimo wszystko jednak pozwoliła się zaprowadzić, przez nędzną furtkę, do drzwi posępnego domu, który właśnie zakupili. A mówiąc dokładniej, zamienili. Podpisali umowę. Wszystko legalnie, zgodnie z prawem. Szkoda tylko, że pan Clifford zdecydował się tak raptownie, bez porozumienia się z nią.

„Patrząc z zewnątrz, nie jest wiele wart, muszę to przyznać..." powiedział idący parę kroków przed żoną pan Clifford. „Ale zobaczysz w środku… wyposażenie jest absolutnie oszałamiające."

„Módl się o to" odpowiedziała pani Clifford.

„Zobaczysz, że nawet o tym nie marzyłaś. Ale co tam marzenia! Oszalejesz z radości, kiedy zobaczysz, co twój mężulek zakombinował…"

Pan Clifford otworzył szeroko sunącą po szynach bramę do sali bokserskiej.

„Witaj w raju!"

W tym samym czasie, w innej części miasta, Will nadstawił uszu.

Wydawało mu się, że z oddali słyszy jakiś krzyk. Ale może to była tylko syrena straży pożarnej.

Siedział z Tupperem na wprost byłej willi Cliffordów.

Brygada od przeprowadzki, z krwi i kości, wynosiła właśnie całe ich umeblowanie, krążąc między domem a gigantyczną ciężarówką parkującą nieopodal.

– Ty też to słyszałeś? – zapytał przyjaciela Will.

Tupper zaprzeczył głową i podszedł do tragarzy, by dać im nowe polecenia:

– To dajcie na dół! Tak, właśnie tak! To nieważne, niech się pogniotą! – powiedział, kiedy ładowali zabawki małych Cliffordów.

To było naprawdę wielkie widowisko! Patrzył z przyjemnością na opróżnianie domu znienawidzonej rodziny uzależnionej od telewizora.

– Ty naprawdę nic nie słyszysz? – zapytał ponownie Will, bo znowu wydawało mu się, że słyszy krzyk lub może syrenę.

Tupper rozejrzał się wokół.

– Nie. Dlaczego?

– Miałem takie wrażenie – powiedział, wstając Will. Potarł sobie uszy, potrzepał głową i wszedł do willi.

– Teraz, jak ją opróżniliśmy, jest naprawdę ładna, prawda?

Ale Tupper został na zewnątrz, żeby pokierować jeszcze brygadą od przeprowadzki.

Will poszukał telefonu między nielicznymi pozostałymi meblami i wybrał numer córki pani Mollyflower, który przewidująco sobie zapisał.

– To pani? Dzień dobry. Wszystko jest w najlepszym porządku. Jestem już w pani domu. Ależ oczywiście! Pan Clifford jest bardzo zadowolony z tej zamiany. I żona też, zapewniam panią! Do końca życia będą mi dziękować…W każdym razie zadbałem o wywiezienie wszystkich ich świecidełek. Może pani przyjść odebrać podpisane dokumenty i klucze od domu bezpośrednio do Agencji Moogleya. Na Siedemdziesiątej Szóstej Wschodniej Avenue, róg Drugiej. Dwudzieste dziewiąte piętro. Agencja Willard Moogley, tak i proszę nie zwracać uwagi na duchy. O, naturalnie! – zaśmiał się Will. – Wiem, że pani duchy nie przeszkadzają. Ta sympatia jest wzajemna, proszę mi wierzyć!

13

NAGRODA
DLA BOHATERÓW

Płacz starszej osoby zawsze wywołuje duże emocje. Nawet jeśli jest ona duchem.

Tupper czuł łzawienie oczu, gdy patrzył na Harolda Pluma, który po raz setny ściskał ręce Willa bez dotykania ich, robiąc to płakał, zdejmował kapelusz i znów go zakładał.

– Nie wiem, jak mam panu dziękować, panie Moogley! Naprawdę! Nie wiem po prostu, jak mam panu dziękować!

– Ale co też pan mówi, panie Plum! Wprawia mnie pan w zakłopotanie!

– Wczorajszej nocy pierwszy raz naprawdę dobrze spałem. Wygodnie i spokojnie. Nie ma pan pojęcia, jaki jestem szczęśliwy, że nie ma tu już tych nieznośnych Cliffordów!

– Głupstwo – powiedział lekceważąco Will. Agencja Duchów Willarda Moogleya zawsze rozwiąże każdy problem.

Tupperowi zaparowały okulary. Zdjął je, wyczyścił kawałkiem brudnego swetra i założył z powrotem na nos.

Zbliżali się, na szczęście, do pożegnań końcowych.

– Powiem o tym wszystkim moim znajomym, panie Moogley. Jeśli tylko jakiś duch będzie miał problem… zaraz skieruję go do pana. O jakże mylili się ci wszyscy, którzy mi odradzali zwrócenie się do pana agencji!

– A kto to panu odradzał?

– E! Kto by to pamiętał!

– Niech pan sobie przypomni, proszę, panie Plum – nalegał Will, lekko rozdrażniony. – Nie podoba mi się, że ktoś chodzi po mieście i obgaduje moją agencję. Żywy czy martwy!

Pan Plum zdawał się zastanawiać jeszcze chwilę, usiłując przypomnieć sobie, kto to chciał go pokierować gdzie indziej, potem jednak pokręcił zrezygnowany głową.

– W każdym razie… dobrze, że nie posłuchałem złej rady. I na szczęście wybrałem waszą agencję.

Zdjął kolejny raz kapelusz.

– Ja wracam do pani Mollyflower. Nie chciałbym, by poczuła się zbyt... samotna. – Uśmiechnął się, znikając w zegarze. – I proszę pamiętać o mnie, gdyby jeszcze potrzebował pan innej skamieliny!

– Może pan na to liczyć! – pożegnał go Will.

Potem zamknął Januę i stanął na wprost niej.

– Sprawiedliwości stało się zadość – stwierdził Tupper, dumny ze sposobu, w jaki udało im się rozwiązać problem.

– Masz rację, Tupper. Ja też bez Cliffordów czuję się tak, jakby mi zdjęto kamień z serca.

– Już go widzę w tej posępnej i cuchnącej sali gimnastycznej – zaśmiał się szyderczo Tupper. – Należało mu się!

– Oszustwo za oszustwo!

– My też musimy z tego wyciągnąć nauczkę: lepiej pomyśleć dwa razy, zanim przyjmiemy następne zlecenie od jakiegoś ducha!

– Dobrze powiedziane, wspólniku.

Tupper rozsiadł się na dywanie. – Zagramy partyjkę? – zaproponował chwilę później, rozglądając się wkoło za czymś, co przypominałoby joystick do gier wideo.

Ale Willa już nie było, gdzieś zniknął. Na moment pojawił się, przemykając przez salon z jednego końca na drugi.

– Dasz pokonać się jeszcze raz? – zaproponował ponownie Tupper.

I znowu żadnej odpowiedzi.

Z pokoju, gdzie przepadł Will zaczynał rozchodzić się podejrzany zapach męskich perfum.

Tupper zrolował w rękach jeden z komiksów leżących z boku na kanapie.

Chwilę później zadzwonił telefon i Will żwawo jak sokół podbiegł i podniósł słuchawkę. Tupper wciąż przeglądał komiks.

– O! Susan! Jak się masz? – odpowiedział Will. Jego przejście przez salon rozniosło, jak smugę spienionej wody za okrętem, odrażający i dziwny smród ryby.

– Co za fantastyczny dzień! – mówił dalej. – Nie! Pewnie, że nie zapomniałem o twoim planie świętowania zakończenia poszukiwań skamieliny. Tak, spotkamy się, pewnie, że się spotkamy! Bardzo, bardzo chętnie to uczcimy. Pytasz o mojego przyjaciela Tuppera? Tak, ale widzisz... prawdę mówiąc... nie wiem, czy...

– Idę – zawołał Tupper z kanapy.

Will sposępniał w jednej chwili. – On mówi, że też pójdzie. Tak więc... jest nas dwóch. Spotkamy się u ciebie? Zaraz? A! OK. Na mieście? Nie, nie, coś ty!

Żartujesz? Na mieście będzie jeszcze lepiej. Za pięć minut. Już idziemy.

Promieniujący odłożył słuchawkę.

– Tupper! Przygotuj się! Idziemy coś zjeść! Przebierz się!

– Wszystko zrozumiesz… – bez podnoszenia wzroku znad komiksu podśpiewywał Tupper. – Mam założyć smoking?

– Myślisz, że to byłoby przesadą? – zapytał Will, wychodząc z uśmiechem z sypialni. Za chwilę kolejny raz zniknął w pokoju.

Dokładnie pięć minut i już byli na dole. Will przytrzymał windę przez cztery minuty i dwanaście sekund, wyliczając precyzyjnie czas tak, by pojawić się przed Susan idealnie punktualnie.

Tupper także tym razem nie skomentował, demonstrując, przynajmniej ze swojego punktu widzenia, że jest ponad takie błazenady.

– No i już jesteśmy – mówił do siebie, wychodząc na ulicę. Zaraz jednak zamilkł, porażony absolutnie nieoczekiwanym rozczarowaniem. Byli także Zick i Joe.

– O, Will! – przywitał się z nim zaraz Zick, przybijając mu piątkę otwartą dłonią. Potem zauważył Tuppera. – A to kto?

– To Tupper – odpowiedział Will.

– Ale co on tutaj robi? Przecież on nie ma nic wspólnego ze skamielinami – mówił dalej Zick, tak jak gdyby Tupper przedstawiał, kto wie jakie, zagrożenie.

W tym miejscu Susan odpowiednio go poinformowała:

– Tupper jest najlepszym przyjacielem Willa.

Will podrapał się po głowie, czując się jak ofiara strasznego wstydu, ale powstrzymał się i nie zareagował.

– Poza tym, to jemu zawdzięczamy nasze spotkanie w tym miejscu! – dodała wesoło Susan.

Willem wstrząsnął lekki dreszcz paniki. Co miała na myśli Susan? I dlaczego Tupper jest taki zadowolony?

Dziewczyna ruszyła chodnikiem w kierunku przeciwnym do sklepu muzycznego Leo Migginsa.

– Bo widzisz… ja nie znam tutaj, w Nowym Jorku, zbyt wielu miejsc. Prawie nigdzie nie chodzę… – mówiła dalej, chwytając Willa pod rękę, czym przyprawiła go o zawrót głowy. Emocje Willa osiągnęły napięcie tysiąca wolt. – Tak więc, gdy zdecydowałam, że musimy koniecznie uczcić wspólnie nasz sukces ze skamieliną… nie miałam pojęcia, gdzie moglibyśmy się spotkać. Wtedy pomyślałam o Tupperze…

To już wiadomo, skąd Tupper miał numer Susan, pomyślał Will, przypominając sobie teraz, że Susan dzwoniła gdzieś zaraz potem, jak wyszli z muzeum.

Grupka skręciła za rogiem. Tupper nie miał wątpliwości!

Will zatrzymał się na środku drogi, wstrzymując też idącą wciąż z nim pod ramię Susan. Podniósł wzrok na kolosalny rozświetlony szyld Dziadka Hanka w dżinsowym kapeluszu i z widłami.

– Nieprawdopodobne – powiedział po prostu.

– Wow! – wykrzyknął natomiast z podziwem Zick. – Dziadek Smażyciel! Zawsze chciałem tu przyjść!

– Dziadek Hank! – zachwycał się też Joe, ściskając z radości Tuppera

– Tylko dzisiaj… – zaczął głosem z reklamy – podają smażone kotlety wieprzowe z mascarpone za dolara pięćdziesiąt.

Żołądek Willa zadrżał, i za chwilę zadrżał jeszcze jeden raz.

– Tupper! – eksplodował, nie mogąc w żaden sposób się powstrzymać. – TUUUPPER!

Chłopcy odsunęli się z niechęcią od siebie: Tupper przysunął się do Joe, a Will do Susan i zaczęli podążać jeden za drugim do baru Dziadka Hanka.

Zick i Joe spoglądali na siebie nic z tego nie rozumiejąc. – O co im chodzi?

Wracali już do domu. Susan patrzyła jak Will i Tupper oddalali się, coraz mniejsi, coraz odleglejsi.

– Ach! – westchnęła rozczulona – po prostu to widać… tych dwóch, to naprawdę prawdziwi przyjaciele…

SPIS TREŚCI

Pierdomenico Baccalario

Urodziłem się 6 marca 1974 roku w Acqui Terme, małej i pięknej miejscowości w Piemoncie. Wychowałem się w otoczeniu lasów, z trzema psami, czarnym rowerem i Andreą, który mieszkał pięć kilometrów w górę od mego domu.

Zacząłem pisać już w czasach liceum (o profilu humanistycznym): na zajęciach szczególnie nudnych udawałem, że robię notatki, a w rzeczywistości tworzyłem opowiadania. Poznałem tam też grupę przyjaciół zafascynowanych grami RPG, wraz z którymi stworzyłem i poznałem dziesiątki wyimaginowanych światów. Jestem też ciekawym świata poszukiwaczem.

Gdy studiowałem prawo na uniwersytecie, otrzymałem nagrodę Battello a Vapore za powieść „La strada del guerriero", co było jed-

nym z najpiękniejszych wydarzeń w moim życiu. Od tamtego momentu zacząłem wydawać powieści. Po skończeniu studiów zainteresowałem się muzeami i projektami kulturalnymi, starając się stworzyć ciekawe historie także na temat starych, zakurzonych przedmiotów. Zacząłem podróżować i poszerzać swoje perspektywy: odwiedziłem Celle Ligure, Pizę, Rzym, Weronę.

Kocham odkrywać nowe miejsca i poznawać różne style życia, nawet jeśli na koniec uciekam zawsze z powrotem do tych, które dobrze znam.

Jest na świecie pewne szczególne miejsce. Jest tam drzewo znajdujące się w Val di Susa, stąd rozciąga się przepiękny widok. Jeśli tak jak ja uwielbiacie spacerować, wytłumaczę Wam, jak je znaleźć. Pod warunkiem, że pozostanie to między nami.

Matteo Piana

*Zostałem poproszony o napisanie własnej notki biograficznej...
ale tak naprawdę to ja nie umiem pisać.*

*Mogę z pewnością powiedzieć, że urodziłem się w dalekim 1973
roku i od małego lubiłem wymyślać historie, by później opowiadać
je za pomocą rysunków. Tak jak wszyscy chodziłem do szkoły
i kiedy zadawano mi pytanie: „Co chcesz robić, jak DO-
ROŚNIESZ", odpowiadałem, że moim marzeniem jest zostać pi-
lotem robota albo rysować komiksy, lub być superbohaterem...
Więc zaryzykowałem i wybrałem rysowanie komiksów, ale nigdy
nie dorosłem!*

*Jednak poza rysowaniem strasznie lubię też jeść czekoladę, drze-
mać z mymi kotami, malować żołnierzyki, oglądać tony filmów
i oczywiście czytać komiksy!*

Kiedy natomiast siedzę przy biurku i pracuję, a do głowy nie przychodzi mi żaden pomysł, wkładam kurtkę ochronną i kask, wsiadam na mego czarnego, dwukołowego rumaka i jeżdżę tak bez końca w oczekiwaniu, aż zapali się mi się lampka. Wtedy dopiero wracam do domu, siadam do stołu, ostrzę ołówek i zaczynam...
I to by było na tyle (a czy Wy umiecie napisać notkę biograficzną???)

Matteo Piana

Pełne fantasmagorii przygody Willa Moogleya i najstarszej agencji duchów na świecie!

1. PIĘCIOWIDMOWY HOTEL

Znana sieć hoteli planuje przekształcić starą posiadłość z okolic Nowego Jorku w pięciogwiazdkowy hotel nawiedzany przez duchy... Czyż to nie idealna okazja, aby odmienić los podupadłej agencji duchów Willarda Moogleya?

2. WSTRZĄSAJĄCA RODZINKA

Willowi trafił się dość nietypowy klient... duch pana Pluma, który przez całe życie pracował jako strażnik nocny w muzeum nie zmrużywszy nigdy w nocy oka. Teraz ma tylko jedno życzenie: móc w końcu spać w nocy!

Tytus Centurion

Skrzypek na duc

Książę Sloppingham

Bracia Turricane